ベルギーパティシエの
四季暮らし
日々の小さな幸せ
250

Les sens ciel
レソンシエル

KADOKAWA

introduction

みなさんこんにちは。
ベルギーでパティシエをしているレソンシエル（Les sens ciel）と申します。

ベルギー在住はあっという間に10年を超えました。
実は当初は3年で帰国する予定だったのですが、なんでこんなに長くいることになったのか…

海外で生活するのは文化も人種も違い過ぎて、最初の数年は本当に戸惑いました。
挫折しそうになることも多いけれど、それ以上に居心地の良さがある、それが3年で帰らなかった大きな理由です。

でもその魅力ってなんなんだろう？
どうしたら皆さんに伝えることができるかな？
そんなことを思いながらスマホの写真を見返していました。

僕と妻のスマホには10年分のたくさんの写真が残っています。
そのどれもがベルギーの魅力であり、カルチャーショックの山でした。
その四季折々の思い出をひとつひとつ、皆さんと一緒に語り明かす、そんなイメージで書いたのが、この本です！
この本は、僕がベルギーへ来てからの絵日記だと思ってみてください。
たくさんのコラムがありますが、順番はどこから読んでも大丈夫です。
気ままにページを開いて、ベルギーの風を感じてもらえたら嬉しいです。

一緒に語り明かしましょう。

sommaire

recette

staff

撮影・イラスト……レソンシエル

デザイン……白畠かおり

DTP……山本秀一・山本深雪（G-clef）

校正……麦秋アートセンター

写真補正……江頭忠房

写真協力……山口泉

編集協力……野口久美子

001 printemps

和風の緑と洋風の緑

北海道より北にあるベルギーは、夏と冬の日照時間が大きく違います。昼が短い真冬の場合、明るいのは1日のうち7〜8時間ぐらい。晴れの日もとても少ないため、ずっと薄暗いところにいる気分です。

冬至を過ぎると少しずつ日が長くなっていき、サマータイムに切りかわるのが3月の後半です。4月になると、なんとなくウキウキ。冬の間はガランとしていた公園の芝生にも人が集まってきます。僕はこの季節の公園の眺めが大好き。芝生のあちこちに小さな花が咲き、木々が芽吹いて……。深みを感じさせる日本の新緑とは違い、ベルギーの緑には日光が透けているような明るさがあります。緑の色合いにも、和風と洋風の違いがあるのかな。

コーヒーには小さなお菓子を添えて

セルフサービスのお店を除き、カフェでコーヒーを頼むと小さなチョコレートやクッキーがついてきます。レストランでデザートの後に出てくるコーヒーにも、必ず小さなお菓子が添えられています。

中でもよく見かけるのが、「カフェタッセ（CAFÉ-TASSE）」のひと口サイズのチョコレートです。café はコーヒー、tasse はカップの意味。コーヒーと一緒においしく食べることを考えて作られたものなのだそうです。

僕の自宅にも、いつも「カフェタッセ」のチョコレートがあります。友人が立ち寄ったときなど、コーヒーに１～２個添えるだけでおもてなし感が出るし、「なんだかベルギーっぽいぞ」という謎の満足感も得られます。

003 *printemps*

街を明るくする「ミモザの日」

3月8日の「国際女性デー」には、女性にミモザの花を贈る習慣があります。この日は、ミモザの花束を売る花屋さんのスタンドが街に現れます。

3月上旬は真冬ではないけれど、春というには少し早い時期。ミモザの鮮やかな黄色は、まだなんとなく暗い街をパッと明るくしてくれます。

贈り方に厳密な決まりはありませんが、基本的に男性から女性へ。僕の周りでは、妻や母親に贈る人が多いようです。昨年の3月には、僕も妻に贈ろうと張り切っていました。でも前日、自宅に帰るとミモザの花が。「これ、どうしたの？」と聞くと、「きれいだったからマルシェで買ってきた」と、あっさり返されました。

printemps 004

ワッフルを自宅で作るなら……

「ベルギーといえば？」という質問に、「ワッフル！」と答える人も多いと思います。でも、実はワッフルには2種類あるのを知っていますか？

日本でもメジャーな、丸くて表面がカリッとしたタイプがリエージュ風。おやつがわりに気軽につまめるお菓子です。作るのにちょっと手間がかかるため、外で買って食べるもの、という位置づけです。

もう1種類は、ブリュッセル風。大きめの長方形で甘味はほとんどなく、ジャムや生クリームをトッピングしたり、ハムを添えて食事がわりにしたりします。材料を混ぜて焼くだけなので、手作りする人もたくさん。手軽な「ブリュッセル風ワッフルの素」も売られています。

005 *printemps*

窓にカーテンがない理由

「郷に入っては郷に従え」と言うけれど、ベルギー生活が長くなっても従えないことがあります。それは、カーテンのない生活。当然、室内は外から丸見えです。外を歩いていると、家族の食事風景から半裸で筋トレするマッチョマンまで、いろいろなものが目に入ります。

フランス語を習っていた先生に、なぜカーテンをつけないのか聞いてみたことがあります。答えは、「隠しごとをしているみたいだから」。どうやら、人に知られたらまずいことをしていないのなら、だれに見られたっていいじゃない？ということのようです。なるほど、といちおう納得しましたが、日本育ちの僕にはマネできない。今でも自宅の窓には、しっかりカーテンをつけています。

printemps 006

おしゃれな部屋も街の景色の一部

カーテンのない暮らし方とも関係しているのかもしれませんが、外から見える室内の様子はどこもおしゃれ。その理由のひとつが、照明の効果です。日本の家だと天井の明るい照明で部屋全体を照らすのが普通ですが、こちらではほどよい明るさの照明をいくつか配置するスタイルが主流。間接照明のやわらかい光が作り出すシルエットは複雑で、とても味わい深いんです。

そもそも「見られる」ことを意識しているせいか、とくに道路に面した窓際はきれいにしつらえてあります。夜、暖かい光の窓が並ぶアパートの様子は、幻想的と言ってもいいぐらい。こちらに来たばかりの頃、「リアル・ドールハウスだ！」と感動したことを覚えています。

007 printemps

古い建物だと思ったら……

スマホの地図アプリで薬局を探していたとき、たどりついたのは古いレンガ造りの建物でした。「本当にここが薬局？」と疑いながら入ってみると、中はピカピカ！ベルギーでは、「見た目と中身が大違い」の建物が少なくありません。古い建物が愛されるとはいっても、さすがに室内の設備が古いままでは使い勝手が悪いので、リフォームしながら使われているのです。

建物ごと建てかえる場合の方法も独特。市街地の集合住宅には塀や囲いがなく、建物の壁が直接道路に面しています。そして建てかえの際、正面の壁だけは壊さずに残す！　こうして生まれた「古く見えるけれど新しい建物」も、実はたくさんあるんです。

ヨーロッパの人は顔を洗わない？

ドラッグストアに行くと、「拭き取り化粧水」がたくさん並んでいます。妻によると、日本ではあまり見かけないタイプのアイテムだそうです。僕は肌が丈夫なのでバシャバシャ顔を洗っていますが、ヨーロッパの硬水は肌にやさしくないそう。そのため、洗顔のかわりに拭き取り化粧水を使う人が多いようです。

僕の場合は、水質の違いを肌ではなく髪で感じました。髪を洗うと、パサパサ＆チリチリに！　最初は驚きましたが、最近では髪が慣れてきたのかな？　以前よりはチリチリ感が薄れてきたような気がします。

日本に帰ると、シャンプーしただけで髪がツルツルしっとり。軟水っていいな、と思う瞬間です。

009 printemps

桜への熱い思い

日本の桜、きれいなんでしょ？　日本に行くなら桜の季節がいいんだよね？と聞いてくるベルギーの人は少なくありません。でも「日本の美しい桜を見てみたいなあ」なんて言うわりに、近所の公園に咲いている淡いピンクの花を愛でようとしません。毎年、もしもし、これ桜の花ですけど？きれいに咲いてますけど？　とツッコミたくなります。

桜に特別な美しさを感じるのは、日本ならではの感性なのかもしれません。僕や妻は、桜の木の下でのんびり花を眺めたい！と思うけれど、こちらの人にとってはただの「きれいな花」。風景の一部として眺めるだけです。僕たちの桜への思い、どう言えば伝わるのかな。

printemps 010

ホワイトアスパラガスは春のごちそう

味がない。ブヨブヨしてる……。ホワイトアスパラガスへのそんな評価は、ベルギーでひっくり返されました。春になると出てくるホワイトアスパラガスは、日本で食べていた瓶詰めとは別物でした。しっかり大きくて、シャリシャリするような独特の食感があって。噛むとみずみずしい甘さが口の中に広がります。初めて食べたとき、あまりのおいしさに驚きました。

塩ゆでしたものにバターや卵のソースを添えるだけで、なぜかとても満足度が高い。パンを添えれば、それだけで夕食になるぐらいです。日本円のイメージで1束(10本ぐらい)1000円ほどと少しお高めではあるけれど、春には欠かせないお楽しみのひとつになっています。

春の気分を運んでくるひと皿

ホワイトアスパラガスのカルボナーラ

材料と作り方

4人分

1 ホワイトアスパラガス8本はピーラーで皮をむき（皮はとっておく）、根元のかたい部分を切り落とす。

2 **1**のアスパラガスと皮を熱湯で5分ほど、つまようじがスッと刺さるようになるぐらいまでゆでる。

3 にんにく1片はみじん切り、玉ねぎ1/2個とマッシュルーム6個は薄切りにする。厚切りベーコン30gは食べやすい大きさに切る。

4 フライパンに**3**のにんにくとオリーブオイル大さじ1/2を入れて弱火にかけ、香りが立ったら残りの**3**と塩少々を加えて炒める。

5 具材に火が通ったら、生クリーム120gとすりおろしたパルミジャーノレッジャーノ15gを加えて温める。

6 火を止めてから、溶きほぐした卵1個分を加え、混ぜながら余熱で火を通す。

7 器に**2**のアスパラガスを盛り、**6**をかけて黒こしょうをたっぷりふる。

011 printemps

ベルギーの公用語は3種類

　フランス語、フラマン語、ドイツ語。ベルギーには3つの公用語があります。フラマン語とは、おもにベルギー北部で使われているオランダ語のことです。

　公用語とはいっても、皆が3言語を話せるわけではありません。フラマン語圏に住む人は、フランス語もそれなりにOK。でもフランス語圏には、フラマン語がまったく話せない人がたくさんいます。そして、ドイツ語がおもに使われる地域は限られています。

　道路標識などはフランス語とフラマン語の2カ国語で書かれており、どちらが先かは地域によって違います。ブリュッセルはおもにフランス語圏なので、フランス語表記→フラマン語表記の順になります。

printemps 012

フラマン語圏の人の感覚は日本的？

　フランス語圏とフラマン語圏では、暮らしている人の印象も違います。フラマン語圏の人は一見不愛想ですが、打ち解けるととてもやさしい。なんとなく日本の人と感覚が似ている部分があるような気がします。

　フラマン語圏であるベルギー北部に行くと気づくのが、街がとてもきれいなこと。ゴミ箱からゴミがあふれている……なんて光景は見かけません。ゴミ袋の口はどれもキュッと結んであるし、段ボールもつぶしてきちんとひもでまとめてあります。お店も清潔感のあるところが多く、店内だけでなくトイレなども掃除が行き届いていて……。几帳面で細やかな気配りに、日本にいるような居心地のよさを感じます。

013 printemps

有名店のチョコレートならサブロン広場へ

有名なショコラティエのひとつ、写真のピエール・マルコリーニの本店があるのが、ノートルダム・デュ・サブロン教会の近くにあるグランサブロン（サブロン広場）。ブリュッセルの中心から徒歩で15分ほどかかり、広場というより大きめのロータリーのような雰囲気の、狭いエリアです。でも周辺には、ゴディバ、ヴィタメール、ノイハウス、レオニダス……と、名店がずらり。チョコレート好きには見逃せないスポットになっています。

グランプラス（p113）のように華やかではないけれど、カフェやレストランもあって雰囲気がおしゃれなので、いつも観光客でにぎわっています。週末に開かれるブロカント（蚤の市）も人気です。

女性にドアを開けさせないで

ヨーロッパでは、生活の中にレディファーストが根づいています。いちばんわかりやすいのが、ドアの開け閉め。女性は、自分ではあまりドアを開けません。女性がひとり行動をしているときでも、近くにいる男性が気づいたらドアを開け、「どうぞ」と通すのがマナーです。

ちなみに、ドアを開けてもらった女性は軽くお礼を言う程度でも失礼ではありません。以前、妻がにっこり「ありがとう」と言ったところ、「そんなていねいにお礼を言わなくてもいいのよ」と横にいたマダムに言われたとか。つまり、レディファーストは当然のこと。男性が近くにいるのに女性にドアを開けさせたりしたら、「失礼な人！」とにらまれても文句は言えないでしょう。

015 *printemps*

一家に１台、フライドポテト・マシン

ほぼどの家庭にもあるコレは、電気式のフライヤー。機能的には揚げものならなんでも作れますが、食事にフリッツ（フライドポテト）が欠かせないベルギーでは、「フライドポテト・マシン」と呼びたくなります。

揚げるものを入れたバスケットを油に沈める仕組みになっているので、それなりの量の揚げ油が必要。油は数回使いまわすことができますが、それでも消費量はかなりのものです。ただし、さすがフリッツを愛する国。使用済みの油を簡単に処分するシステムも整っています。

ベルギーの食用油は、口が広い容器に入って売られています。使用済みの油をこの容器に戻せば、スーパーマーケットなどで回収してもらうことができるんです。

ソース選びも楽しいフリッツェリア

　自宅で作る揚げたてのフリッツもいいけれど、おいしいフリッツが買えるお店もあります。「フリッツェリア」は「揚げもの屋さん」なのですが、扱う商品の80%ほどはフリッツ。ほぼ「フリッツ屋さん」です。ファストフードとして人気のケバブを売るお店にも、必ずフリッツがあるし、フリッツが有名なレストランには、テイクアウト用の窓口も作られています。

　お店でフリッツを買う楽しみのひとつが、ソースを選べることです。人気があるのは、マヨネーズにトマトペーストを加えたアンダルーズソースや、ピリ辛のサムライソースなど。レストランでは、ちょっと凝った自家製のオリジナルソースを作っているところもあります。

017 printemps

ゴワゴワのタオルをフワフワに戻す技

ヨーロッパの水は硬水なので、日本とは洗濯事情がかなり違います。洗剤が溶けにくいため、洗濯機は水温調節機能がついているものがスタンダート。デリケートなものなら30℃、普通の衣類は60℃ぐらいで洗います。そして、洗った後は乾燥機で乾かすのが一般的です。

引っ越してきたばかりの頃は、洗濯物を室内干ししていました。おそらく水質のせいで、乾いたタオルは顔を拭くと痛いほどゴワゴワ。柔軟剤を使ってもほとんど改善されなかったのですが、意外な解決策がありました。

洗い方は同じでも、乾燥機で乾かせばフワフワになる！　それを知って以来、乾燥機はなくてはならないアイテムになりました。

printemps 018

「サヴァ」の便利な使い方

日本でフランス語の勉強を始めたとき、「サヴァ（Ça va）？」は「元気？」という意味だと教わりました。でも実際には、挨拶以外にも幅広く使われています。

店でパンを注文すると、「クロワッサンふたつね。サヴァ？」。道路で転んだとき、近くにいた人が「サヴァ？」。最初のうちは、「なぜこのタイミングで“元気？”なんて聞く？」と思いましたが、どうやら「サヴァ？」は「OK？」のような意味で使われることも多いようなのです。

語尾を上げ下げすることでニュアンスがかわるので、応用範囲はとても広い。たとえば僕が転んだときのやりとりは、「サヴァ？」「ウィ、サヴァ！」。サヴァサヴァ言うだけで会話が成立することもある、便利な言葉です。

賃貸住宅は入居＆退去時のチェックが厳しい

賃貸住宅の契約に関するあれこれは、日本より少しややこしいかもしれません。まず、家主と一緒に銀行に出向いて専用の口座を開設します。そこに家賃2カ月分ほどの金額を入れておくのですが、このお金は、家主の同意がなければ引き出すことができません。

入居前には、入居者と家主、さらに専門の鑑定人で室内を見て回り、必要に応じて証拠写真なども撮影。退去時にも、同様のチェックをします。

以前住んでいたところで玄関の汚れが気になる部分にペンキを塗ったら、退去時に日本円のイメージで15万〜16万円もの請求が！　家主さんと話し合って最終的に支払わずにすみましたが、かなりヒヤヒヤさせられました。

printemps 020

掃除はプロの手を借りて

僕たちをよく食事に招いてくれるフランス人のムッシュの家におじゃましたときのこと。落としたペンを拾うためにソファの下をのぞいたら、ホコリひとつ落ちていなくて驚いたことがありました。これはムッシュがものすごくきれい好きなことに加え、掃除にプロの手を借りているからだと思います。

ベルギーでは個人で掃除を請け負ってくれる人が多く、自宅の郵便受けには、サービス内容や料金が書かれた手作りのチラシがよく入っています。「キッチンだけ頼みたい」など、依頼内容は応相談。料金が日本円のイメージで1時間1000円ほどとリーズナブルなこともあり、一般家庭でも気軽に依頼することができるんです。

021 printemps

バーベキューにはバゲットが欠かせない

日本では、バーベキューといえばキャンプ場などで楽しむレジャーのイメージ。でもベルギーでは、「ちょっとしたおもてなし料理」のような位置づけです。冬が終わって屋外で気持ちよく過ごせる季節になると、あちこちの家で人を招いて「庭バーベキュー」が始まります。

バーベキューのシーズンになると、お店には味付けされて「あとは焼くだけ」のお肉がたくさん並びます。大きな骨つきのお肉もあれば、ステーキ肉のように切り分けたものも。チキンやソーセージも人気です。そしてバーベキューに欠かせないのが、お皿がわりに使うバゲット。焼き上がったお肉をのせ、サンドイッチみたいにして食べるのがベルギー流です。

printemps 022

とんがりキャベツを求めて

野菜やフルーツは、土地によって味わいが違います。ベルギーの野菜は、全体的に日本のものよりワイルド。また、スーパーマーケットでもマルシェでも、売られているものには個体差があります。形やサイズにはバラつきがあるし、傷や汚れがあるのもあたりまえです。

また、同じ野菜のはずなのに日本で食べていたのとは大違い、というものもあります。たとえば、普通の丸いキャベツ。引っ越して来てすぐに、「かたくておいしくないから買わないほうがいい」と教えてもらいました。日本のキャベツに近いのは、上部がツンととがっている品種。何をどこで買えるのかわからないうちは、とんがりキャベツを探してあちこち歩き回ったものです。

023 printemps

寝転ぶな、危険！

天気のよい日は公園に行き、芝生にゴロンと寝転んで日光浴を楽しむ。ベルギーの人が好む過ごし方です。でも僕には、とても同じことはできません。

自然が豊かな公園には、鳥や小動物もいます。中でも多いのが、大型の水鳥です。問題は、彼らの排泄物が小型犬のもの並みに大きいこと。そのせいで、園内のあらゆるところに黒くてコロコロしたものが落ちています。

でも、なぜかベルギーの人たちはそれを気にしない！芝生の上に何があろうと「芝生に寝転んでいる」と思えるみたいです。でも僕は、「芝生に落ちているものの上に寝転んでいる」気分になってしまう。たとえ親しい友人に誘われても、芝生にゴロンは無理だなあ。

最高の眺めは季節限定・ハルの森

ブリュッセルから車で30分ほどのところにある「ハルの森」は、ブルーベルの自生地として知られています。ブルーベルは野生のヒヤシンスで、小さな青紫色の花をつけます。森の中に入ると空気がひんやり。マイナスイオンたっぷりなんだろうな、という心地よさがあります。そして、ブナの若葉の淡い緑と足元に広がる一面のブルーのコントラストは、なんともいえず美しい！　自然が作り上げたものならではの幻想的な眺めです。

ただし、残念ながら満開のブルーベルを見られるのは4月中旬～5月上旬あたりの1～2週間ほど。咲いている期間が短く、その年の天候によって時期も微妙に異なります。日本の桜のような、季節限定のお楽しみです。

025 printemps

自転車にやさしいブリュッセルの街

目的地が5km先だったら、どんな交通手段でそこへ行きますか？　今の僕は、迷わず自転車を選びます。ベルギーの人は皆、自転車が大好き。自分の自転車をもってみて、僕にもその気持ちがわかるようになりました。

ブリュッセルの街は自転車専用レーンが整備されているため、自転車での移動が安全＆快適。街路樹が並ぶ道を自転車で走るのは、最高に気持ちいいのです。

自転車の使い方で日本と大きく違うのが、サドルの高さです。前傾姿勢でこぐのを好むため、足が地面につかないほど高くしている人がたくさんいます。そういった人が信号待ちをするときは、どうするか？　横断歩道の手前にある電柱につかまって体を支えているんです。

花粉症にさよなら

以前、4月に日本に一時帰国したとき、鼻水が出て目がかゆくて……。そうだ、僕は花粉症だったんだ！と思い出しました。

ベルギーで暮らしはじめてから、花粉症に悩まされたことは一度もありません。これは僕に限ったことではなく、日本から来た人は皆、同じことを言っています。

症状が出ない理由は、単に杉の木が少ないからだと思います。日本では、山全体が杉！なんてこともありますが、こちらではほとんど見かけません。公園には杉らしき木が数本あるけれど、近くに行かなければ大丈夫。寒くて暗い季節が長いなど、ベルギーの気候は厳しめですが、花粉症の人にとっては暮らしやすかったりして。

027 *printemps*

「ムゲの日」にはスズランを贈る

5月1日、街にはスズランの小さな花束を売るフラワースタンドが登場。たくさんの人が立ち寄り、ひと束買っていきます。

ベルギーに来たばかりの頃、僕はこの花束を「母の日」の贈り物だと思っていました。ヨーロッパではカーネーションじゃなくてスズランを贈るのか！なんて勝手にカン違いしていたんです。

でも実は、スズランの花は「ムゲの日」のためのもの。この日には、大切な人にスズラン（muguet）を贈る習慣があるんです。贈られた人には幸せが訪れるといわれているとか。花束の意味を知ってからは、僕も毎年、妻やお世話になっている方に贈るようにしています。

printemps 028

ランチビールはあたりまえ

ベルギーでは、ビールはお酒というより、コーラなどと同じ清涼飲料に近い存在のようです。そのせいか、ランチのときにビールを飲むのなんてあたりまえ。ヨーロッパの人は基本的にお酒に強いことや、水やソフトドリンクよりビールのほうが安い場合があることなども関係しているのかもしれません。

親しくしているフランス人のムッシュは、長い散歩をするのが日課です。まずは40分歩いてお気に入りのカフェに行き、ビールを1杯。ひと休みしてから40分かけて帰宅します。健康のための散歩なのに、途中でビール飲んじゃっていいの？と思いましたが……。ムッシュにとって、ビールはお酒のうちに入らないのでしょう。

029 printemps

ビールの種類によってグラスもかわる

ベルギーでは、ビールの種類によってグラスを使い分けます。日本でも、専門店やおしゃれな店がグラスにこだわっていることはありますが、ベルギーでは「使い分けるのがあたりまえ」という雰囲気です。

冷やして飲むすっきりタイプはタンブラー型、泡立ちがよく、香りを楽しむタイプはくびれのあるチューリップ型、じっくり味わうタイプは足つきの聖杯型……。このほか、「このビールにはこれでないと！」という１対１対応のグラスもあります。中には、専用のスタンドを使わないと倒れてしまうような、かわった形のものも。どれも、それぞれのビールをいちばんおいしく飲むために考えられた意味のある形なのだそうです。

printemps 030

料理に砂糖はお断り⁉

ヨーロッパでは、食事として食べるものに砂糖を使う習慣がありません。でも、甘味のある味つけが嫌いなのかといえば、そうでもない。その証拠に、日本生まれの調味料・とんかつソースやテリヤキソースは大人気です。

友人に、和風の煮物のレシピを聞かれたことがあります。でも「砂糖」と言った瞬間、「気持ち悪い！」。「テリヤキにだって砂糖が入ってるよ」と説明すると、「そう言われれば甘いね」と、しぶしぶ納得する始末です。

これってたぶん、僕がライスプディングを好きになれないのと同じこと。僕にとってお米は主食で、デザートとしては受け入れにくい。同様に、ベルギーの人にとって、食事に砂糖は違和感があるのでしょう。

031 printemps

野菜のサイズに要注意

日本のレシピを見るときは、頭の中で「玉ねぎ１個」は「２～３個」に、「なす１本」は「1/3 本」に換算します。同じ野菜でも、日本とベルギーではサイズがかなり違うものがあるからです。

たとえば日本の玉ねぎは、大きくて実が詰まっていますよね。表面の皮も、１枚だけツルンときれいにむけます。でも、ベルギーの玉ねぎは小ぶりでやわらかい。皮をむくときも、食べる部分まで２～３枚ついてきてしまうのが普通です。そのため、レシピの分量より多めに用意する必要があるわけです。反対に、なすやパプリカは驚くほど大きい！　レシピ通りの分量を入れたら、とんでもない量のおかずができてしまうんじゃないかな。

春色の幸せ・イースター

キリストの復活を祝うイースターは、春分の日の後、最初に巡ってくる満月の次の日曜日。3月末～4月上旬にあたることが多いため、イースターが近づいてくると「春が来た！」とウキウキしてきます。

寒くて暗い冬を乗り越え、花も咲きはじめる時期。街にも、春を感じさせる明るい色のイースター用デコレーションがあふれます。

子どもがいる家では、イースターエッグの準備も必須。ベルギーでは本物の卵ではなく、カラフルにラッピングされた卵形のチョコレートが使われます。親が庭や室内にイースターエッグをたくさん隠しておき、子どもたちは「卵（チョコだけど……）探し」を楽しみます。

033 printemps

お茶を買うなら専門店へ

ブリュッセルには、お茶の専門店がたくさんあります。もちろんスーパーマーケットでも買うことはできますが、お茶が好きな人は、茶葉を量り売りする店を利用することが多いようです。

こういった店で扱うのは、おもにオリジナルのフレーバーティー。どこも種類が豊富で、パッケージのデザインもおしゃれです。

僕がよく行く店には100種類近くのお茶が並んでいますが、お気に入りは緑茶＆ネクタリン＆レモンなどが入った「ベルサイユ」や、ハーブ＆ローズヒップ＆ベリーの「アルピナ」。あれこれ見くらべ、味や香りを想像しながら好みのお茶を選ぶのは、とても楽しい時間です。

お菓子やパンはどこで買う？

ブーランジェリー（boulangerie）はパン屋さん、パティスリー（pâtisserie）はお菓子屋さん。でも実際には、ブーランジェリーにもお菓子が並んでいるし、パティスリーでもパンを売っています。

はっきりした線引きがあるわけではないけれど、ブーランジェリーのお菓子は、エクレアやタルトなどシンプルなものがほとんど。本格的なケーキはパティスリーでなければ買えません。

また、僕が働くパティスリーでは、クロワッサンなど「ヴィエノワズリー」と呼ばれるリッチな生地を使うパンは店内で焼きますが、バゲットはブーランジェリーから仕入れたものを売っています。

035 *printemps*

店に入るときは「こんにちは！」

フランス人の友人は、日本でコンビニエンスストアに入るとき「こんにちは〜。元気ですか？」と挨拶し、スタッフに驚かれたそう。日本ではお客から挨拶をする習慣がないので、不思議な人だと思われたのでしょう。

ベルギーでは、店に入るとき「ボンジュール、サヴァ（Bonjour, ça va）？」などと声をかけるのが普通です。スタッフとお客の関係は、かなりフラット。接客中に店の電話が鳴ると、「ちょっと待っててね」なんてお客を待たせるのも平気です。お客様扱いしてくれる日本の接客は、行き届いているけれど、やや事務的。ベルギーの接客はフレンドリーだけれど、ちょっと雑な気も……。どちらが好き、と決めるのは難しいかな。

printemps 036

「後で」は信じすぎないで

何かを頼んだとき、「後でやって、メールします」と言われたら？　以前の僕なら、すんなり受け入れていたはず。でもベルギー暮らしが長くなった今では、「大丈夫？無理しなくていいよ？」と思うようになりました。

ベルギーでは、「仕事は自分のペースで一度にひとつずつ」という感覚が普通です。複数のタスクを同時進行しようとする人は少数派。おまけにやる気と実力が比例しているとは限らないので、用心が必要なのです。

レストランでお会計を頼むときも、頼んですぐに来てくれなければ、遠慮せずにもう一度声をかけたほうがいい。相手は段取りを考えて待たせているわけではなく、単純に忘れていることのほうが多いからです。

037 printemps

ムスリムの文化が身近に

ベルギーで暮らしはじめたことで、ムスリム（イスラム教を信仰する人）の文化が身近なものになりました。たとえば、日の出から日没まで飲食できないラマダン（断食月）。つらい修行のようなイメージをもっていましたが、ムスリムの友人によると、少なくとも彼にとっては「皆との一体感を感じられるもの」という感覚なんだとか。

イスラム教では、豚肉やアルコールは禁止されており、牛肉や鶏肉も決められた方法で処理されたもの（ハラル）しか許されません。こうした暮らし方に対応するためでしょう。近所のスーパーマーケットにはハラルフードが普通に並んでいるし、ほとんどのレストランには、お肉や動物性食品を使わないメニューが用意されています。

printemps 038

お菓子の甘さは日本の５割増し

パティシエが作るのは、甘いお菓子。でも、「おいしく感じる甘さ」は人それぞれです。僕がベルギーで作っているお菓子は、日本のものよりかなり甘い！　こちらでは、甘くて濃厚なお菓子が好まれるからです。

ヨーロッパのお菓子の甘さは、日本の５割増しといっていいぐらい。甘味の強さも甘いものを食べる量も、日本とはぜんぜん違います。どんなに満腹でも食後のデザートは欠かさないし、日本だったら「デカ盛り」として話題になりそうな特大のパフェもペロッとたいらげます。

最初は強烈な甘さに衝撃を受けた僕ですが、人間には適応力がある！　気がつくと、こちらのケーキもアイスもおいしいと思うようになっていました。

039 printemps

ベルギーの人は定番が好き

食に関しても季節感は求められるし、たとえお気に入りの店でも、いつ行っても同じものしかないのでは飽きられてしまう。そう思った僕は、こちらの店で仕事を始めてからしばらくの間、季節に合わせて新しいものを提供することに力を入れていました。でも１年ほどたった頃から、定番を中心とする路線に落ち着きました。

ベルギーでは、珍しいものよりトラディショナルなものが好まれます。ショーケースに新製品ばかり並べていると、「いつものチョコレートケーキがほしかったのに」と何も買わずに帰ってしまう人もいました。日本とは違って、珍しい限定品より食べなれた定番に価値を感じる人が多いようです。

printemps 040

お米じゃないよ、チョコレートだよ

製菓材料店では、「10kg入り」や「30kg入り」のチョコレートが売られています。並べられていると小さく見える袋でも、容量の表示を見ると、5kg、3kg、1kg……。一緒に行った妻からは、「お米か！」と突っ込まれました。一般の人も買い物に来る店にキロ単位でチョコレートが並んでいるなんて、ベルギーならではかもしれません。

ただし、ベルギーの人のチョコレート愛は「茶色いチョコレート」に限られている気がします。その証拠に、ホワイトチョコレートは不人気。以前、必要になって探したときは、スーパーマーケットを5軒も回ってやっと買うことができました。ちなみに、ピンクのいちごチョコレートなども まったく見かけません。

サクサク&しっとり、濃厚なおいしさ

チョコレート大国のタルトショコラ

材料と作り方

直径 15cm・1 台分

1 粉ゼラチン 3g、冷水 15g を混ぜ、冷蔵庫に入れておく。

2 鍋に水、生クリーム（乳脂肪分 35%）各 35g、グラニュー糖 60g を入れて中火にかけ、ゴムべらで混ぜながら沸騰直前まで加熱する。火を止めてココアパウダー 25g をふるい入れ、ホイッパーで混ぜる。

3 再び中火にかけてふつふつとしてきたら火を止め、**1** を加えて混ぜる。濾しながら器に移して表面にラップを密着させ、あら熱がとれたら冷蔵庫でひと晩冷やす。

4 薄力粉 155g、粉糖 46g、ココアパウダー 12g をフードプロセッサーに入れて混ぜ、さらにサイコロ状に切って冷やした無塩バター 125g を加えてパラパラになるまで混ぜる。

5 卵黄 2 個分を加えて混ぜ、生地がまとまったら手でこねてひとまとめにし、ラップで包んで冷蔵庫で最低 1 時間休ませる。

6 まな板に **5** を取り出し、打ち粉をしながらめん棒で約 4㎜の厚さにのばす。薄く油を塗ったタルトリング（底のないタルト型）に生地を敷き込み、側面に密着させる。余分な生地をカットしてフォークで底に数カ所穴を開け、15 分冷凍庫に入れてから 160℃に予熱したオーブンで 18～20 分焼き、冷ます。

7 鍋に生クリーム 90g、水飴 25g を入れ、ゴムべらで混ぜながら沸騰直前まで温める。

8 耐熱の器にダークチョコレート 45g、ミルクチョコレート 20g を入れ、**7** を注いでゴムべらでよく混ぜる。**6** に流し入れ、冷蔵庫で 3 時間ほど冷やしかためる。

9 **3** を耐熱容器に入れ、電子レンジで 30℃ほどに温める。**8** に流し入れ、冷蔵庫で 2 時間ほど冷やす。

041 printemps

ジェスチャーの技術を学びたい

日本のテレビ番組で、イタリア人の出演者に手を動かすことを禁止すると急に口数が減る……なんて検証企画を見たことがあります。おそらくこれは、ヨーロッパの人の多くに当てはまると思います。

こちらの人は皆、ジェスチャーが派手で大きい！　でも、身についているからとてもスマートに見えます。たとえば、息子の幼稚園の先生と面談したとき、女性の先生が「これでいいわよね？」みたいなことを言いながらパチッとウインクしてくる。ジェスチャーの一環だとわかっていても、一瞬ドキッとしてしまいます。かっこいいジェスチャーをまねしてみたい気もしますが、日本で生まれ育った僕にはハードルが高いかなあ……。

赤ちゃんからお年寄りまで使える呼びかけ

すれ違った人がものを落とした……なんていう場面で迷うのは、相手にどう呼びかけるべきか？ということ。でもフランス語には、とても便利な言葉があります。それが「ムッシュ（monsieur）」。相手が男性であれば、赤ちゃんからお年寄りまでだれに対して使ってもOKです。

ちなみに女性の場合は、「マドモアゼル（mademoiselle）」と「マダム（madame）」の使い分けが必要です。高校生ぐらいまでならマドモアゼル、30代以上ならマダムが無難。悩ましいのは、相手が20代前半ぐらいの場合です。呼びかけなければならないときは、相手の様子をチラチラ観察。「どっちで呼びかけてほしいと思ってるのかな？」と予想してから声をかけるようにしています。

043 printemps

スーパーマーケットでジビエも買える

日本のスーパーマーケットだと、お肉売り場でいつでも買えるのは牛・豚・鶏ぐらいでしょうか。こちらでは、お肉の種類はもっと豊富です。

牛・豚・鶏に加えて、牛肉とは別扱いで子牛肉があり、ラムや七面鳥（ターキー）、鴨も常に売られています。マルシェに行けば、ウサギも普通に手に入るし、ジビエの季節にはイノシシや鹿のお肉も登場します。

牛肉の味も、日本のものとはかなり違います。日本では霜降りが好まれるけれど、こちらでは赤身が人気。サシが入ったような牛肉は、あまり見かけません。ステーキにしたときはもちろん、ビーフシチューのような煮込みにしても、日本で作るときとは味や食感が違います。

魚の種類＆調理法は日本のほうが豊富

お肉とは反対に、手に入りやすい魚の種類は限られています。スーパーマーケットに必ずあるのは、タラとサーモン、ステーキ用のマグロ。あとは正体不明の切り身が少しある程度です。その他の魚介類では、エビやカキは人気食材。イカやムール貝もよく食べられています。

魚屋さんに行けばサバやスズキ、ヒラメ、タイ、ウナギなども手に入ります。でも、日本では普通に食べられるアジやイワシ、カツオなどはまず見かけません。

魚の食べ方は、オーブンで焼いてソースをかけたり、フライやスープにしたり。塩をふってグリルするシンプルな日本式焼き魚は、魚料理のジャンルとして存在していないみたいです。

045 *printemps*

役所のルールも担当者次第

たとえば市役所で、「○○はできません」と言われたら？　以前の僕は、「そういうルールなんだな」と素直に納得していました。でも、ベルギーで鍛えられた今は違います。断られても、「なぜできないの？」などと食い下がることができるようになりました。

粘ってみる理由は、同じ仕事でも担当者によって対応が違うことがよくあるから。役所のような公的機関でさえ、そうなのです。だから、自己主張は大事！　言えば通るとは限らないけれど、とりあえず言ってみる。あきらめるのはそれからでも遅くありません。いったん断ったことでも、こちらがひと押しするとしぶしぶやってくれる……なんてことも珍しくないんです。

printemps 046

職場ではにっこり自己主張

自分が使ったボウルや鍋を洗うとき、シンクの中に他の人が使ったものもあったらどうしますか？　「ついでに洗う」のは、日本なら正解。感謝や評価につながるからです。でもベルギーでは不正解。雑用を一度でもやると、当然のように次からも押しつけられかねません。

こちらのスタッフは、「シェフ」などの肩書をもつ人には敬意を払います。でもそれ以外は、年齢、実力、職歴などに関係なく「言ったもん勝ち」。日本の職場と同じ感覚で頼まれごとや雑用を引き受けてしまうと、年下のスタッフに便利づかいされる……なんてことが起こります。同僚に雑用を頼まれたら、笑顔で「あなたの仕事だから、自分でやって！」と答えるのが正解です。

047 printemps

ビズは何回？

頬と頬を合わせて、唇で「チュッ」とキスもどきの音を立てる……。これが「ビズ（bisous）」です。ヨーロッパでは会ったときと別れ際、ビズで挨拶するのが普通です。

おもしろいのは、国によってビズの回数が違うこと。ベルギーは1回ですが、フランスでは2回、イタリアでは3回。ここはベルギーだから、と1回ですませようとすると、「私はフランス人だからもう1回！」なんて言われることもあります。

男性同士は、ビズのかわりに握手が一般的。初対面の人とはあまりビズをしないけれど、「友だちの友だち」のようなつながりがあればすることも……。だれとどう挨拶するか、空気を読む力が試されている気がします。

printemps 048

ビズはすかさず、自分から

ビズは日本にはない習慣。当然、最初は尻込みしました。「日本の人はビズをしないよね？」と気をつかってくれる人も少なくありませんでした。

もちろん、ビズは得意ではありません。でも、皆がビズをしている場で自分だけ握手をするのも、なんだかさびしい。さらに、最初の機会にビズをしなかった相手とは、その後もビズをする関係になりにくいんです。

すんなりビズをすることで、相手との距離は確実に縮まります。ポイントは、「自分から」「素早く」動くこと！　相手が「日本の人ってビズが苦手かな？」なんて気を回す前に、すかさずビズ！　その瞬間だけはベルギー人になったつもりで、ビズを交わすようにしています。

チキンは丸ごと焼くほうが楽？

フランス人のご夫婦が、月に１回ほどのペースで食事に招待してくれます。気軽なランチなどの際によく登場するメニューが、ローストチキン。日本で一般的な「骨つきもも肉」ではなく、丸鶏のローストです。

見た目が豪華なので作るのが大変そうに思えますが、調理方法はとてもシンプルです。天板にじゃがいもや玉ねぎを並べ、その上に塩とハーブをすりこんだ鶏をポン。オイルをかけてオーブンに入れれば、１時間ほどででき上がります。料理担当の奥様によると、鶏は丸ごと料理したほうが面倒くさくないのだとか。それぞれが好みの部位を選んで食べられるし、一緒に焼いた野菜もおいしい！　いつか僕も、まねしてみたいと思っています。

printemps 050

横断歩道の手前では立ち止まらない

横断歩道の手前では立ち止まり、右見て左見て、もう一度右を見てから手を上げて渡る。子どもの頃教わったルールは、ベルギーでは通用しませんでした。

一般道路では、歩行者が最優先。さらに、車より自転車が優先されます。基本的な考え方は日本と同じなのですが、ルールの受け止め方が大きく違うのです。

道路では最強の歩行者にとって、車が自分に道を譲るのは当然。だから、交差点でもスピードを落とさずに歩き続ける！　車もそれを織り込みずみでスピードを調節しています。日本式に横断歩道の手前で立ち止まると、走ってきた車の運転者に「君のせいでタイミングがずれた！」みたいにいやな顔をされることもあります。

051 printemps

「切り口」は素晴らしい日本のサービス

お菓子などのパッケージを開けるときは、ナイフやハサミで小さく切り込みを入れ、そこから開封します。こちらでは、「切り口」の機能が今ひとつ。「切り口」と書いてあっても簡単には切れなかったり、想定外の方向に裂けてしまってかえって残念な結果になったりすることが少なくないからです。最近の日本製のものには、切り口どころか「どこからでも切れます」なんて便利なものまで登場しているのに！

スーパーで買ったプリンを食べようとしたら、フタがわりのフィルムがぴったり接着されていて、つまむところがない！　どうやって開けろって言うんだよ……とブツブツ言いながら、少し日本がなつかしくなりました。

家庭ゴミは５色の袋に分別

　ブリュッセルの街並みがとてもきれいなのは、ゴミの回収システムがしっかりしているせいかもしれません。日本と大きく違うのは、屋外にある「公共のゴミ箱」の数。市街地には50mおきぐらいにゴミ箱があり、回収もこまめに行われています。

　ちなみに、家庭ゴミは５種類に分別するのがルール。使用するゴミ袋も、一般ゴミは白、生ゴミはオレンジ、段ボールなどの紙類は黄色、草や木の枝は緑、ペットボトルや缶類は青、と色分けされています。洋服などの布類と空き瓶は、それぞれ路上にある回収ボックスへ。瓶の場合、ボックスに入れると中でパリンと砕かれます。意外に大きな音がするので、夜は控えるのがマナーです。

053 *printemps*

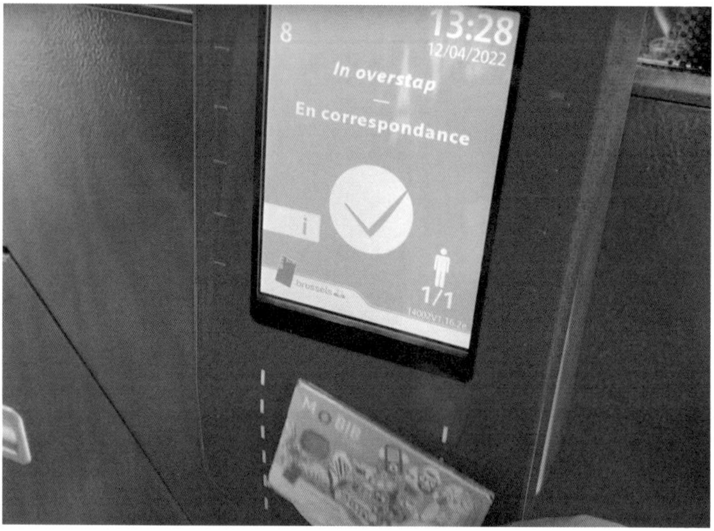

メトロやバスでは必ずピッ！

ブリュッセル市内では、メトロ、トラム、バスのチケットが共通です。メトロからトラムに乗り換え、さらにバスに乗って……などという場合でも、1時間以内であれば1枚のチケットで乗り継げます。

注意したいのは、乗り換えるたびに改札機でピッ！とすること。これを忘れると、有効なチケットをもっていても無賃乗車とみなされてしまいます。たまに行われるコントロール（検札）の警備員に見つかったら、100%アウト。チケットを見せても、事情を説明しても、絶対に聞き入れてもらえません。ちなみに、初犯の罰金は100ユーロ、2回め以降は500ユーロほど。高額の罰金に泣かないためにも、「ピッ！」を忘れずに！

printemps 054

コーヒーは「大きいカップ」とオーダー

フランスでは、「カフェ」とオーダーするとエスプレッソが出てきます。でもベルギーでは、日本のものに近いコーヒーが出てくることが多いと思います。ただし、「カフェ＝普通のコーヒー」とも言いきれず、お店によって違う、というのが現実です。

確実にコーヒーを買いたい場合は、「ゴンタス（grande tasse)」と伝えるのがいちばん。直訳すると「大きいカップ」という意味ですが、大きいカップで売られているコーヒーなら、絶対にエスプレッソではありません。ちなみに、「アメリカン」とオーダーするのはおすすめできません。以前、コーヒーではなくカクテルが出てきてしまったことがあったので……。

055 printemps

お弁当はシンプルでよし！

　カラフルなおかずとごはんをきれいに詰め合わせたものは「BENTO」と呼ばれ、日本スタイルのちょっと特別なランチ、という位置づけ。職場や学校で見かけるリアルなランチは、びっくりするほど質素＆手軽です。

　パンにハム（だけ！）を挟んだものとか、パン＋リンゴ＋スナック菓子とか。息子が通う幼稚園では、日本人の親がおにぎりときゅうりをもたせたところ、先生に「すごい！」とほめられたそうです。

　ちなみに、食が細い息子の定番ランチは市販の袋入りワッフル２個。日本だったら園の先生に「親が具合が悪いのかな？」と心配されそうなメニューですが、こちらではごく普通のランチとして受け入れられています。

printemps 056

ベルギーの人は朝型が多い？

仕事などのアポイントで「朝イチ」と言われた場合、何時をイメージしますか？　始業直後はあわただしいだろうから……なんて気づかった場合は10時、どんなに早くても9時ではないでしょうか。

でもこちらでは、役所に予約を入れると「8時15分に来て」などとかなり早い時刻を指定されます。スーパーマーケットも朝8時～8時半頃には開店しているし、シフト制やフレックスタイム制で働く場合も「早く行って早く帰る」スタイルを好む人が多い印象です。

たぶんこれは、残業しない働き方が定着しているから。仕事は早く終わらせ、その後の自分の時間を充実させよう！と考える人が多いのだと思います。

057 *printemps*

ベルギーで気づいたチューリップの魅力

梅雨がなく、夏の暑さも厳しくないせいか、花の咲き方も日本とは違います。たとえばアジサイ。春〜初夏に咲く花だと思っていましたが、ベルギーでは咲いてからの長さが違う！　初夏に開いた花が、9月頃まで美しさをキープしているんです。

いちばん驚いたのが、チューリップです。暖かくなると花が開ききり、そのまましおれて枯れてしまうものだと思っていました。でもこちらでは、開ききった状態でしばらく咲き続けます。チューリップはつぼみ〜半開きぐらいがいいと思っていたけれど、大きく開いたチューリップにも独特の美しさがある。日本では知らなかった新しい魅力を発見することができました。

食事の前のアペロはおしゃべりタイム

友人に夕食に招かれると、まずはお酒とちょっとしたおつまみが出されます。食事の前にお酒を楽しむ「アペロ（apéro）」の習慣があるからです。

アペロのおもな目的は、おしゃべりを楽しむことです。おつまみに手をかける必要はなく、買ってきたものを並べるだけで十分。オリーブやナッツ、生ハムやサラミなどが定番です。

自宅ではアペロの習慣がないためか、お酒を飲んでつまんでいると、たいして食べていないのにおなかいっぱいになってしまうことも。やっと食事が出されたときには「ごめん、もう食べられない……」なんて気分になっていることもあります。

059 *printemps*

挨拶はペコリより握手

僕が日本のパティスリーで働いていた頃、ベルギーから一時帰国したパティシエがお店に顔を出したことがありました。彼は店に入ってくるなり、「どうもどうも」なんて言いながらみんなと握手。「これがヨーロッパ帰りの人か！」と圧倒されたことを覚えています。

日本では、職場での挨拶は「部屋全体」に声をかける感じ。でもベルギーでは、ひとりひとりと握手やビズを交わします。最初は戸惑ったけれど、今ではすっかり習慣になりました。先日、日本に帰って知り合いの店を訪ねたとき、無意識で握手の手を差し出してしまいました。ちょっと引き気味の相手を見て、しまった！……数年前に出会ったパティシエも、こんな気分だったのかな。

マルシェのお店は見せ方上手

個人店や生産者が集まるマルシェは、街のあちこちで開かれています。新鮮でよいものがそろうので、マルシェがある日はスーパーマーケットよりマルシェへ。野菜やくだもの、海産物、花などいろいろな店が並んでいますが、ついあれこれ買いたくなるのは、ディスプレイが上手なことも関係しているかもしれません。

ディスプレイといっても、凝ったことをしているわけではありません。基本は「バサッ！」。野菜やくだものはドーンと山積み。切り花もバケツにたくさん突っ込んであるだけ。でも、その豪快さがかえっておしゃれに見えるから不思議です。あれは「技」なのか、センスなのか。どちらにしても、僕も身につけたいものです。

061 printemps

卵パックをもって遊びに来てね

意外なのですが、ベルギーでは、ごく普通の住宅地の庭先で鶏を飼っている人が珍しくありません。大家さんや住人の許可を得てアパートの中庭で鶏を飼っている、なんて話も聞いたことがあります。こうした鶏はもちろんペットではなく、卵をとることが目的です。

僕の友人も、4羽も鶏を飼っていたことがありました。4羽が毎日卵を産むため、家族だけではとても消費しきれない。当時はよく、「卵がたまっちゃったから、卵パックをもって遊びに来て！」とSOSの連絡がありました。言われたとおり空っぽの卵パックをもっていき、卵を詰めてもらって持ち帰る。新鮮なおいしい卵、いったいいくつもらったかな……。

花は暮らしの必需品

マルシェでは、食材だけでなく花も売っています。ブリュッセルの街のおしゃれな地域には凝ったアレンジメントを扱う花屋さんもありますが、マルシェのお店はとてもカジュアル。1種類の花をバサバサッとまとめたものを、「1束500円＆2束以上買うと少しお得！」のようなノリで売っています。花は特別なものではなく、暮らしに欠かせないものなんだな、と思わされます。

ちなみに、妻に言わせると「1束」の量が日本とはかなり違うのだとか。こちらでは、マルシェで500円ほど出せばバラなら20本ぐらい買えるイメージです。それなりにボリュームがあるので、花瓶にポンと入れるだけでおしゃれに見えます。

063 printemps

週末はブロカントへ

おもに週末、あちこちで開かれる「ブロカント（蚤の市）」。本格的なアンティークから身近な家庭用品まで、さまざまなものが並びます。ブラブラ見てまわるだけでも楽しめますが、ほしいものがあるときは、頭の中で狙いをしぼっておくのがおすすめです。

ブロカントには、さまざまなジャンルのものが大量に出されるため、ぼんやり眺めていると目移りしてしまいがち。でも「今日は食器を見る」と決めておくだけで、よいものが見つかりやすくなるような気がします。

最近買ったのは、人気ブランド「ボッホ（Boch）」のカップ＆ソーサー。箱の中に詰み上げられたものの中から発掘したのですが、状態もよく、大満足の買い物です。

温かい食事と冷たい食事

おなかいっぱいだと仕事がしにくいので、僕の朝食の定番はバナナヨーグルト。僕だけでなく、ベルギーでは朝食は軽めにすませる人が多い印象です。さらに、手をかけた食事は１日１回でよし、とされているよう。たとえば昼食をしっかり食べたら、夜はサンドイッチやサラダなど簡単なものですませる人が多いのです。

おもしろいのは、きちんと調理するものを「温かい食事」、簡単なものを「冷たい食事」と呼ぶこと。息子の健康診断で、医師に「温かい食事は、一日に何回とってる？」と聞かれました。これは息子がやせ型のため、「ちゃんと栄養のあるものを食べている？」という意味。食事の温度を聞かれたわけではないんです。

065 *été*

いちごの旬は初夏〜夏

いちごは、日本では冬〜春のくだもの。でもベルギーでは、6月が旬です。YouTubeで行っているお菓子教室には日本からの参加者が多いため、クリスマスシーズンにいちごを使ったケーキなども紹介したいところなのですが……。残念ながら、いちごが手に入らないんです。

日本で一般的ないちごは、「フレーズ（fraise）」と呼ばれます。品種は同じでも、日本のものより肉厚で香りも強い。とくに名産地であるウェピオン産のものはカットすると中まで赤く、味も香りもリッチです。

5月頃からは、マルシェに「いちご屋さん」も登場。日本で使われているパックの4倍は入りそうな、小さなバケツに山盛りにされたいちごが店先に並びます。

été 066

バカンスの行き先は？

夏は、バカンスのシーズンです。街から人がいなくなるため、僕が働く店は1カ月ほど閉店。その間のお給料は日割りで支払われます。当然、閉店期間中はお給料が減ることになるけれど、問題なし。だって、通常の1.5カ月分ぐらいの「バカンス手当」が支給されるから！

バカンス中の行き先で人気が高いのは、夏の日射しをたっぷり浴びられるスペインや南イタリアなど。僕のフランス語の先生によると、「バカンスはどこへ行くの？」と聞いてくる人は、相手の行き先を知りたいわけじゃなくて「私は○○へ行くんだけどね！」なんて言いたいだけなんだとか。のんびり過ごせる長い休暇は、つい自慢したくなるほど楽しみなものなんでしょう。

067 été

夏の夜はバルコニーでおうちレストラン

アパートを見上げると、どの部屋も小さなベランダにテーブルと椅子が置かれています。目的はもちろん、食事をするため。屋外で気持ちよく過ごせる5月〜8月頃には、普段の食事をベランダでとる人が多くなるんです。

都市部のアパートは中庭を囲むようにつくられているので、ベランダに出ても通行人の視線が気になることはありません。真夏でも夜は涼しいし、蚊に悩まされることもないので、とても快適です。

もちろん僕たちも、お皿とグラスをもってベランダへ。アパートのあちこちからなんとなく聞こえてくる低い話し声や小さな食器の音が、レストランにいるみたいな心地よさを感じさせてくれます。

été 068

エアコンを設置するのもひと苦労

美しい街の景観を守るために厳しいルールがあるので、エアコンの室外機を設置するのにも許可が必要です。お菓子作りをする職場にはエアコンが必需品。でも、「仕事に必要なんです！」という事情があっても、建物のオーナーのお許しがなければダメ。許可が下りる場合も、「もともとある煙突から排気をする」などの条件がつくこともあります。僕が働く店でもショーケースの下に室外機を隠し、配管も見えないように気を配っています。

また、洗濯物の外干しもNG。室内に干すか、乾燥機を使うのが普通です。日本に戻ったとき、ベランダに靴下をつるした小物干しがぶら下がっている風景を見ると「ああ、帰ってきたな」と、ほっとします。

069 été

暑い日は教会でひと休み

北海道よりやや北に位置しているベルギーの夏は、それなりに暑いけれど、カラッとしています。夏の盛りには40度近くまで気温が上がる日もありますが、そんな暑さが続くのはせいぜい1～2週間。そのせいか、一般家庭にはエアコンがないのが普通です。

オフィスや店ではエアコンを使っていますが、日本のように、公共の場所をキンキンに涼しくしているわけではありません。そのため、猛暑日の避難先としてはやや物足りない。でも、意外なところに涼しいスポットがありました。それは、教会。石造りで天井が高いため、内部は夏でもひんやり。祈りの場としての雰囲気を乱さないように注意しつつ、涼ませてもらっています。

知っておきたい教会でのマナー

ヨーロッパには美しい教会がたくさんあります。観光スポットとして有名なところは入場料が必要な場合もありますが、ほとんどは出入り自由です。ただし、教会内での振る舞い方には少し注意が必要です。

まず信者席に座ったとき、前にある低い台に足をのせないこと。これはひざまずいて祈るときに膝をつくためのものだからです。また撮影OKであっても、自分も写る場合に笑ったりポーズをとったりするのはマナー違反のよう。僕は実際に、旅行先の教会で係員に注意されたことがあります。国や宗派によって厳しさの度合いに違いはあると思いますが、教会は神聖な場所。節度のある行動を心がけるべきでしょう。

071 été

アイスコーヒーは新顔ドリンク

日本ではいつでも飲めるアイスコーヒーですが、こちらでは夏限定の飲み物。そもそも、僕が引っ越してきた10年ほど前には「冷たいコーヒー」を売っている店はほとんどありませんでした。「アイスコーヒー」的な名前のものをオーダーしても、出てくるのはシャリシャリしたフラペチーノのようなものだったり、グラスに入れた氷の上に熱いエスプレッソを注いだものだったり。

そんなわけで、僕たちがイメージするアイスコーヒーやアイスカフェラテが飲めるようになったのは、わりと最近のことです。ただし、アイスコーヒーはあくまでカジュアルな飲み物。カフェでは飲むことができますが、レストランのメニューにはほとんどありません。

été 072

子ども乗せ自転車がかっこいい！

　自転車の子ども用シートは荷台につけるもの、と思っていました。でも、こちらではバリエーションが豊富。ハンドルの前にベビーカーのようなサイズのカートが組み込まれていたり、荷台に雨除けカバー付きの箱形のシートが搭載されていたり。ベンチやテーブルがついていて子どもが2～3人乗れるようなものもあり、ここまで来ると自転車というより人力車と呼びたくなります。

　大型のものはもちろん電動アシスト付きなのですが、びっくりするほど高い！　日本円で60万～70万円ほどするものがザラです。環境保護に役立つため、購入時には補助金が出るそうですが……。高額でも人気があるのは、「自転車好き」な人が多いからかもしれません。

073 été

レンタルのトルチネットは乗り捨てOK

専用レーンが整備されている自転車フレンドリーな環境のため、移動手段としてトルチネット（電動キックボード）も人気です。レンタルも盛んなのですが、日本の同様のサービスと違うのが「乗り捨て」ができること。ピックアップも返却も、どこでも可能なのです。

専用ポートなどを探さなくてすむのは便利なのですが、レンタルサービスが始まったばかりの頃は管理状態が今ひとつでした。利用後のトルチネットが横倒しで放置されていたり、とても乗る気になれないほど泥だらけだったり。利用者のマナーや管理の悪さが問題視されるようになったのは、サービス開始から数年たってから。最近では、きれいで性能もよいものが増えています。

été 074

トラムのドアは自動で開かない

ブリュッセルを走っている「電車」は、ちょっと遠出をするときに乗る特急電車のような位置づけ。日常的な移動には、メトロ（地下鉄）やトラムを利用します。

トラムは、一般道を走る路面電車。専用の線路上を走りますが、道路状況に応じて止まったり減速したりすることもあるので、バスに近いイメージです。

専用の停留所で乗り降りしますが、乗りたいときは手を上げて合図します。降りる人がいるときはドアが開きますが、いない場合は自分で開けるシステムです。少しややこしいのは、車体の新しさによって開け方が違うこと。ボタンを押すものもあれば、ドアについている緑のラインを押すものもあり、今でも迷うことがあります。

075 été

夏のマルシェには桃がいっぱい

夏のマルシェの楽しみといえば、なんといっても桃。日本では、「桃＝白桃」のイメージですが、ヨーロッパは桃の仲間の種類が豊富です。日本ではあまり見かけないものも、くだもの屋さんの店先に山盛りになっています。

白桃は日本の桃とほぼ同じもののほか、平たいタイプ（蟠桃《ばんとう》）も一般的。缶詰でおなじみの黄桃はしっかりした歯ごたえがあり、白桃より味が濃厚です。

甘ずっぱいアプリコットやネクタリンもメジャー。ネクタリンに果肉が黄色いタイプもあることは、こちらに来て初めて知りました。実際はサクランボの仲間ですが、黄緑色のレーヌクロードや小さくて黄色いミラベルも、桃を思わせる味わいです。

été 076

便利な冷蔵パイシート

家族用のデザートとして僕や妻がよく作るのが、フルーツパイです。パイなんて言うと難しそうに聞こえますが、とても簡単。だって市販のパイ生地を使うからです。

日本で売られているパイ生地は冷凍のものが多いけれど、こちらでは冷蔵タイプが主流です。丸い形に伸ばしてあるパイ生地をロール状に丸めたものが、普通のスーパーマーケットで手に入ります。

買ってきた生地は必要に応じて伸ばしたり切ったりしてパイ皿に敷き、フルーツを並べてオーブンに入れるだけ。少し手をかけてクレームダマンド（アーモンドクリーム）を加えることもあります。桃やりんご、いちごなど、旬の食材を使えば、季節のおいしさが楽しめます。

市販のパイ生地&季節のフルーツで

焼きっぱなしのフルーツパイ

材料と作り方

直径 21cm・1 台分

1 パイ皿にオーブンペーパーを敷き、市販のパイシートを型に密着させるように敷き込む。余分な生地をカットして底にフォークで穴を開け、15 分ほど冷凍庫に入れておく。

2 **1** の中にオーブンペーパーを敷き、タルトストーンを入れる。180℃に予熱したオーブンで 40 分空焼きし、オーブンペーパーとタルトストーンを外して冷ましておく。

3 指で押して跡が付くくらい柔らかくしておいた無塩バター 75g をボウルに入れてゴムべらでほぐし、粉糖 75g を加えて混ぜる。さらにホイッパーで、バターが白っぽくなるまでよく混ぜる。

4 アーモンドパウダー 75g を加え、全体がなじんでクリーム状になるまで混ぜる。

5 卵 2 個を加え、全体がなじんでとろっとしたクリーム状になるまでさらによく混ぜる。

6 薄力粉 10g をふるいながら加えて混ぜ、**2** に流し入れて表面をたいらにならす。

7 **6** の上に季節のフルーツ（桃、杏、いちごなど）を並べる。

8 160℃に予熱したオーブンで 40 分焼く。

077 été

バカンスは南へ

バカンスの行き先は、圧倒的に「南」が人気です。日本育ちの僕には、暑い夏、暑い場所に行きたがるのが不思議でした。でもベルギーの夏を経験し、今では僕も「夏は南に行きたい！」と思うようになりました。

ある年の夏、ベルギーよりかなり南にあるクロアチアでバカンスを過ごしました。ジリジリする太陽も、久しぶりに聞くセミの声も、本当になつかしかった。人間には、「夏らしい夏」も必要なんだな、と思いました。

実は、僕は海が苦手。プールならいいけれど、海に入ると下から何かが来るような気がして……。でもそんな僕でさえ、このときは海に入りたいと思いました。そして、実際に入ったんです！　足首までですが。

快適な高速道路はスピードに注意

日本で暮らしてきた僕にとって、「車で外国に行ける」ことはちょっとしたカルチャーショックでした。東京から静岡に行くような感覚で、「ちょっとドイツでも行く?」なんてことができるわけですから。

おまけに、市内を移動するより遠出するほうがストレスが少ない！　高速道路がまっすぐで道幅も広く、ほとんど無料だからです。日本では合流などの関係でこまめな車線変更が必要ですが、こちらの道は、行き先を示す看板に「200km 先を右方向」なんて書かれているぐらいシンプルです。ベルギーの制限速度は、時速 120km。走りやすいため、思っているよりスピードが出てしまいがちな点だけは注意が必要です。

079 été

注目のチョコレートはゲントにあり

いわゆる「チョコレートの有名店」は、ブリュッセルにそろっています。でも、チョコレート好きの間で注目されている街といえば、ゲント。人気ショコラティエの小さな店が集まっていることで知られています。

僕たちパティシエの間で評価が高いショップは、まず「ドゥドゥートゥスヒャーヴェ」。フルーツのフレッシュなおいしさが楽しめるボンボンショコラは絶品です。個性的なデザインの「マレーン・クーチャンス」、味わいが繊細な「ヨースト・アリス」などもおすすめの店です。

日本では有名店のものは高価ですが、こちらでは自分用に気軽に買えるお手頃価格。ゲントのチョコレートも、日本円のイメージで1粒100円ぐらいです。

été 080

ベルギーの人気者・白い貴婦人

レストランやカフェのメニューに必ずといっていいほどあるのが、「ダム・ブランシュ（＝白い貴婦人）」。名前からはどんなものか想像しづらいけれど、バニラアイスクリームに熱いチョコレートソースをかけたひと皿です。

基本はシンプルですが、ソースには店のこだわりが表れます。サラッとしたものからチョコレートを溶かしただけのようなもったりしたものまで、タイプはさまざま。表面が溶けてチョコレートとほどよく混ざったアイスは、チョコレートシェイクのような独特の味わいです。

ベルギーとフランスの食文化はよく似ていますが、なぜかフランスで「ダム・ブランシュ」を見たことはありません。ベルギーでは、こんなに愛されているのに……。

081 été

小さな店やマルシェの接客はフレンドリー

　コンビニエンスストアがないせいかもしれませんが、ブリュッセルのような大きな街にも、八百屋さんやお肉屋さんなど小さな店がたくさんあります。マルシェに出るさまざまな店もいつも同じ人が販売しているので、街の個人商店と同じような雰囲気です。

　小規模な店は、基本的に接客がフレンドリーです。行きつけになれば顔を覚えてくれて、話しかけてくれたり好みを覚えてくれたり。お年寄りのお得意さんが来ると、店の人が品物選びを手伝った後、お財布ごと受け取って一緒にお金を数える、なんてこともしています。なんでもそろうスーパーマーケットは便利だけれど、小さな店には、下町の商店街のような心地よさがあります。

été 082

スーパーマーケットの会計は忙しい

日本のスーパーマーケットでは専用のかごを使いますが、こちらでは売り場からレジまでマイバッグに入れてもっていっても OK。また、お菓子などを会計前に開封している子どももよく見かけます。最終的にちゃんと会計をすれば、途中経過にはこだわらないみたいです。

会計の際は、買ったものを自分でかごから出してベルトコンベア式のレーンに並べます。レジ係がバーコードを読み取りますが、読み取り後の商品はレーンの端にのせられたまま。支払いをした後、その場でマイバッグに入れます。レジでするべき仕事が多すぎて、慣れないうちは「かごから出さなきゃ、お金を払わなきゃ、バッグに詰めなきゃ！」と焦りっぱなしでした。

083 *été*

甘〜いいちごより甘酸っぱいラズベリー

　ケーキのデコレーションに使いたいフルーツといえば？　日本では「いちご！」という答えが多そうですが、ベルギーでは、ラズベリー（フランボワーズ）が人気です。日本ではちょっと高級なイメージがありますが、こちらではお手頃なフルーツ。プリプリした実は食感もよく、甘味の中に酸味もしっかり感じられます。

　ヨーロッパは、ベリー類の種類が豊富。いちご（フレーズ）、ラズベリーに加え、甘酸っぱいブルーベリーや少しえぐみのあるブラックベリーなども人気があります。値段は少し張りますが、いちごとラズベリーの中間のような味わいの「フレーズ・デ・ボワ」は、パティシエなら思わず手が伸びる食材です。

été 084

嫌いな人の庭に投げ込むものとは？

一戸建てに住んでいる人からは、庭でとれるものをムダにしないためにはジャムを作るしかない！なんて話を聞くこともあります。たとえばコワン（マルメロ）の木があると、収穫期にはジャムやジュレ作りに追われる。コワンは、香りは素晴らしいけれど渋みが強く、とてもそのままでは食べられないからです。

ハーブの一種であるエルダーフラワーなど、どんどん増える植物も使いきるのが大変そうです。中でも最強なのが、ラズベリー（フランボワーズ）。「嫌いな人の庭にはフランボワーズを投げ込みなさい」なんて言葉があるほど繁殖力が強く、地植えしたら最後、食べるのが追いつかなくなるのだそうです。

085 été

個性的なアイスティーは夏のお楽しみ

　ヨーロッパでは、コーヒーと紅茶はホットが基本。そのため、アイスコーヒーと同様、アイスティーを飲めるのも夏だけです。

　日本でアイスティーといえばストレートの紅茶を冷たくしたものですが、こちらではちょっと違う。ベースは緑茶や紅茶ですが、ジュースで割ってあったり、フレッシュフルーツやハーブが入っていたり。シロップやはちみつで甘味をつけたものもあります。

　何より楽しいのは、店によって味が違うこと。アイスティーを提供するカフェでは、それぞれオリジナルのレシピを採用しています。季節限定のメニューのせいか、ちょっと手がかかっていておいしいものが多いんです。

été 086

日焼けは「充実した夏」の証拠

　ベルギーの人は日焼けが大好き。寒さがゆるんで日射しが強くなってくるといっせいに外に繰り出し、公園で日光浴を始めます。真夏のカフェで、あえて直射日光が当たるテラス席を選ぶ人も。夏が終わって真っ黒に日焼けしていたり、真っ赤にほてった肌で痛そうにしていたりするのは、バカンスが充実していた証拠です。

　日本では一般的な日傘は、こちらではまず見かけません。日焼け止めも、まだ肌が弱い子どもが使うもの。大人用のUVアイテムは、おもに「肌をきれいに焼く」ことが目的のようです。もちろん「紫外線の浴びすぎは肌によくない」という知識はあるけれど、日焼け後のシミもナチュラルなものとして受け入れられています。

087 été

ビールのお供に世界一おいしいフリッツを

フリッツ（フライドポテト）が愛されているベルギーには、「世界一おいしい」といわれているフリッツェリアがあります。店の名前は「メゾン・アントワーヌ」。フリッツひと筋で60年以上の歴史があり、行列ができていることも多い超人気店です。

人気の秘密はおいしさに加え、この店ならではの楽しみ方ができること。店があるジョルダン広場にはビールが飲めるカフェが何軒かあり、そのうち数軒の入口にフリッツのイラストが描かれたステッカーが貼られています。これは、「メゾン・アントワーヌのフリッツならもち込みOK」の印。フリッツを持ち込んでおつまみにビールを楽しむことができるんです。

日本で飲むなら日本のビール

国産の銘柄が1500以上あるといわれるだけあって、ベルギーのビールはとても種類が豊富。味や香りもバラエティに富んでいます。僕の好みは、フルーティで飲み口がもったりしているもの。日本のビールより、じっくり味わえるところが気に入っています。

数年前、日本に帰省したとき、お気に入りのベルギービールを見つけました。うれしくなって買って飲んでみたのですが、なぜか今ひとつ。続けて日本のビールを飲んでみたのですが、これが最高においしかった！

フルーティで重めのビールは、カラッとして涼しいベルギーで飲むからおいしいのでしょう。蒸し暑い日本には、スカッとさわやかなビールが合うみたいです。

089 été

マニュアルを作ってみたけれど……

僕が働く店には、マニュアルがありません。実は作ったこともあるのですが、その通りにやろうとするスタッフがいなかったため自然消滅してしまいました。

マニュアルといっても、とてもシンプルなものです。たとえば、「商品が売れたら在庫表に数を記入する」。でも、たったこれだけの作業をきちんとやる人がいない！少し続けてみたけれど、かえってゴチャゴチャになってしまうようでした。結局、「必要なときに在庫を数えればいいじゃん！」というところに落ち着きました。

個人的には、こまめに在庫表を書くほうが楽なような気がしますが……。スタッフにとっては、毎日のように在庫を数えるほうが効率的なようです。

été 090

ベルギーにもち帰りたい日本のテキパキ接客

ベルギーの接客は、お客というよりスタッフ主導で、マイペース。最初はカチンとくることもあったのですが、今ではそれなりにベルギー流に慣れました。

日本に一時帰国した際、空港でファストフード店に立ち寄りました。早朝でほかの店が開いていなかったため、カウンターの前は大行列。でも僕の「待ち時間予測」はみごとに外れ、あっという間に順番が回ってきたんです。スタッフの仕事ぶりは、本当に素晴らしかった！

ベルギーに戻ってから、このときのことを何度か人に話しました。「手が空いた配膳スタッフが何をしたと思う？　レジのフォローに入ったんだよ？」。聞いた人はほぼ全員、「おお！」と感動の声をもらします。

091 été

薄切り肉が薄くない！

日本との食生活の違いがはっきりわかるのが、薄切り肉がないことです。お肉はブロック単位で売られているのが普通です。いちばん薄いお肉でも、厚さ1cmぐらい。日本の「とんかつ用」よりやや薄いかな？ぐらいのボリュームがあります。

注文すれば薄切りにしてくれるお肉屋さんもありますが、かなり少数派。「薄切り」なんてオーダーには対応できないところがほとんどだと思います。

ただし、お肉屋さんには必ずといっていいほど生ハム用のスライサーがあります。そして、かたまりの生ハムを紙のように薄く切っている！　薄切りにする技術は高いんだから、お肉も薄切りにしてくれればいいのに。

été 092

ハムを買うならお肉屋さんへ

日本では、普段食べる薄切りのハムはスライスして売られているのが普通です。もちろんベルギーでも、スライスしたパック入りのハムも売られています。でも、せっかくならお肉屋さんで買うハムを味わってみてほしい！　かたまりからスライスしたてのハムは、パック入りのものよりずっとおいしいからです。

「お肉屋さんでスライスしてもらう」というとハードルが高いように感じるかもしれませんが、楽勝です。ほしいものは指させばいいし、分量も「2枚」などと指で示せば伝わります。すぐに食べる分だけ買うのが普通なので、「少ししか買わないのは悪いかも」などと遠慮する必要もありません。

093 été

待つことも、待たせることも気にしない？

ベルギーの人は、並んで待つことが得意です。店のレジで待たされても、文句を言ったりいやな顔をしたりする人はいません。でも……。待たされることを気にしない分、他人を待たせることも気にしないのです。

僕だったら、店が混んでいるときはできるだけ短時間で会計をすませなくては、と気をつかいます。でも、ベルギーの人は違う！　自分の番が回ってきたら、そこからは自分の時間。注文も支払いもマイペースで、商品のことをあれこれ聞いたり、お財布を長々と探って小銭を探したり。日本で同じことをしたら、やや雰囲気が悪くなりそうですが、「早くして～」なんて無言の圧をかけてくる人はいない。お国柄の違いを感じる光景です。

été 094

表情の豊かさに圧倒される

ディズニー映画などでは、キャラクターが驚いたときに眉がグーッと上がったり、口角をギュギュッと上げて笑ったりします。僕は子どもの頃から、「アニメならではのオーバーな表現」だと思っていました。

でもベルギーで暮らしはじめてから、考えがかわりました。そもそもの骨格の違いも関係しているのかもしれないけれど、こちらの人は本当に表情が豊か。ディズニー映画の表現は、それほどオーバーじゃなかったんだな、と気づかされました。

あるとき、息子の友人の3歳児が僕にウインク！　今からこうして表情筋を鍛えているから表情豊かな大人になれるのかな、と勝手に感心してしまいました。

095 été

ホームドクター探しは時間がかかる

ベルギーの医療は、ホームドクター制。緊急時以外はどんな不調でも、まずはかかりつけ医であるホームドクターの診察を受けます。ホームドクターが専門的な検査や治療が必要だと判断すると大きな病院への紹介状を書き、患者はそれをもって専門医などを受診します。

ただし、ホームドクター探しもなかなか大変。初診には予約が必要なのですが、評判のよい医師だと3〜4カ月待ちになることもあります。

そのため、引っ越しをしたりかかりつけ医をかえたりしたいときは、健康でもとりあえず予約を入れておく！2回め以降は予約がとりやすくなるので、まずは一度受診しておくようにすると安心です。

仏像のある病院

ホームドクターは、あらゆる不調を診てくれる「総合医」という感じ。何科を受診すればいいのかな？なんて迷わずにすむ点は便利です。専門的な検査や治療は病院に行かなければできないけれど、病院とはきちんと連携していて、患者の情報も共有されているようです。

検査や処置をすることが少ないため、ホームドクターの診察室は「いかにも病院」というつくりではありません。とくに自宅の一部を診察室にしている場合、インテリアも個性的です。日本人の患者が多いところだと、仏像が飾られていたり、屏風のような和風の衝立があったり……。センスはともかく、アットホームな雰囲気なのでリラックスして診察を受けることができます。

097 été

学校帰りのおやつは焼きたてワッフル

ベルギーでは12歳以下の子どものひとり歩きが禁止されているため、毎日の登下校にも保護者の付き添いが必要です。それを狙って下校時刻になると小学校の前に現れるのが、リエージュ風ワッフルやアイスクリームを販売するワゴンカーです。

いわゆるキッチンカーのように車内で調理ができるようになっているため、ワッフルを焼く香りがフワ〜ッ。甘い誘惑に逆らえるわけもなく、たくさんの子どもたちがワッフルを食べながら家に帰ることになります。こうした移動販売のワッフルは、ひとつ200〜250円ぐらい。焼きたてが食べられることもあって、パティスリーで買うものよりずっとおいしく感じられます。

été 098

種類が豊富なジャムやジュレ

フルーツが身近なため、ジャムの種類も豊富です。定番のベリー類をはじめ、「パッションフルーツ×バナナ×マンゴー」のように数種類をミックスしたものや、エルダーフラワーやバラのジャムなども。ルバーブやコワン（マルメロ）などは生食には向かないけれど、ジャムの素材としては人気です。

ジャムのほか、「ジュレ」もいろいろ売られています。ジュレは、フルーツの煮汁（実は取り除く）に砂糖などを加えて煮つめたもの。素材に含まれるペクチンでプルンとかたまります。パンにつけるなど食べ方はジャムと同じですが、果実そのものではなく「香りだけを味わう」ようなリッチ感があります。

ヨーグルトのソースやデザートの仕上げにおすすめ

季節のフルーツピューレ

材料と作り方

作りやすい分量

1　好みのフルーツ（いちご、ラズベリー、ブルーベリーなど）750gを細かく切って鍋に入れ、グラニュー糖150g（フルーツの20%）とレモン果汁1/2個分を加える。

2　**1**を弱火にかけ、ときどき混ぜながらフルーツが煮くずれるまで煮る。

3　**2**をブレンダーなどで攪拌し、目の細かいザルなどでこす。

4　清潔な保存容器に入れ、ピューレの表面にラップを密着させた状態で時間をおく。あら熱がとれてから冷蔵庫に入れる。

※冷凍保存も可能。冷凍したものは、使う前日に冷蔵室に移して解凍する。

099 été

女性から挨拶がなくてもヘコまない！

偶然、知り合いに会えば挨拶をしますよね。日本と勝手が違うのが、相手が男女のカップルだった場合です。男性同士はにこやかに「どうもどうも～」なんて挨拶を交わしますが、女性はあまり愛想よくしてくれないことがあります。それも、かなりの確率で！

初めのうちは、嫌われているのか？と軽く悩んだりもしましたが、そうではないことがわかってきました。レディファーストの延長で、「社交辞令として男性に笑顔を向けなくてもいいんじゃない?」という考え方もあるようなのです。個人的には、挨拶ぐらい感じよくしてくれてもいいのに！と思いますが……。妻によると「不愛想でも許されるから、ちょっと楽」なのだそうです。

雨でも傘はさしません

雨が降りそうなときは、傘をもって外出するのが日本の常識。でもこちらでは、出かけるときに降っていなければ傘をもっていきません。そして出先で降られても、少しぐらいの雨なら傘をささない人が多いんです。

コートやパーカーなどのフードをかぶる人もいますが、濡れるのを気にしない様子で歩いている人も。雨が激しくなっても、店先などで少し雨宿りして小やみになったときを狙ってダッシュ！なんて方法が好まれます。

折り畳みの傘をもち歩いている人もいるけれど、よほどの雨でなければ使おうとしない。なんだかよくわからない感覚だな、と思っていたのですが……。いつの間にか僕自身も、小雨のときは傘をささなくなっていました。

101 été

若いうちから賃貸よりもち家

ブリュッセルの街には、新しいビルに交じって歴史を感じさせる建物もたくさん並んでいます。大きな地震がなく、石やレンガは火事にも強いため、古い建造物が昔のままの姿を保っているのでしょう。

新築の住まいが好まれる日本とは違い、伝統的な造りの家や集合住宅に関しては「古くなるほど価値がある」とされています。日本では、家を買うのはある程度の年齢になってからのことが多いけれど、ベルギーでは若いうちからもち家に住むのが普通です。「古い家ほど価値がある」ということは、購入後に価値が上がり続ける可能性が高いということ。そのため、資産として家を買うことが多いのだそうです。

観光地といえばここ！　グランプラス

ブリュッセルの真ん中にあるグランプラスは、東京でいえば東京タワーや東京スカイツリーのような超有名観光地。「王の家」と呼ばれる博物館や市庁舎など、歴史的に価値のある建物に囲まれた広場です。

足元の石畳もツヤツヤに磨き上げられていて、まさにヨーロッパ！という雰囲気。観光で訪れたら、間違いなく写真を撮りまくりたくなるはずです。

偶数年の８月に行われる「フラワーカーペット」も人気のイベントです。グランプラスに数十万本の花が敷き詰められ、開催年のテーマに合わせた大きな絵を描き出します。夜には音楽とプロジェクションマッピングなどを組み合わせた演出も楽しめます。

103 été

香りも湿気も室内を循環

道を歩いていると近所の家からおいしそうな香りが漂ってきて、「あ、田中さんち、今夜はカレーだな」。こんなことが起こるのは、日本の換気扇が室内の空気を吸って屋外に出すタイプだから。こちらのキッチンにも換気扇はついていますが、排気システムがありません。換気扇の役割は、「キッチンの空気を吸って家の中に散らす」こと。カレーを作りながら換気扇を回すと、家中にカレーの香りが充満することになります。

においはともかく、気になるのが湿気。室内の空気を入れかえる方法が窓を開けるしかないので換気の効率が悪く、どうしても湿気がこもります。日本より湿度が低いとはいえ、カビ対策は気を抜けません。

やっぱり靴を脱ぐ暮らしが心地よい

日本に帰ったとき、息子を連れて室内のアスレチック施設に行きました。そこで感動したのが、床の清潔さ。もちろん施設の管理が行き届いていることもあるけれど、前提として「土足禁止」であることが大きい気がします。

室内でも靴を履いている暮らし方のせいか、ヨーロッパの人は床や地面の汚れにそれほど神経質ではありません。靴を履いたままベッドに寝転んだり、椅子の座面に乗ったりするのはごく普通のこと。小さな子どもは、床に敷いたマットやカーペットの上が遊び場ですが、当然、そこからはみ出して動き回ることも……。暮らし方はそれぞれですが、僕にとってはやっぱり「土禁」が安心。これからも家では靴を脱ぐ生活を続けようと思います。

105 été

花を飾る無限ルーティン

僕には、生け花やフラワーアレンジメントのスキルがありません。「花を飾る＝きれいに飾る技術が必要」というイメージがあったので、まさか自分が自宅に飾るための花を買うようになるとは思いませんでした。

友人の家に行ったとき、部屋の一角にピンクのチューリップがたっぷり飾ってあるのがとても素敵でした。「1種類の花だけを飾る」という発想がなかったのですが、それ以来、わが家でもまねするようになりました。

買ってきた花を花瓶にバサッと入れるだけ、という手軽さから、花を飾るのが日常に。しおれてくると、自然に新しい花に手が伸びます。花のある生活に慣れた今では、「花がないとさびしい」と思うようになりました。

été 106

オレンジジュースは生搾りに限る

ヨーロッパの朝食の定番は、オレンジやりんごのジュースとクロワッサン、コーヒー。毎日のように飲むオレンジジュースを買うのは、ちょっとおもしろい経験です。

どこのスーパーマーケットにもあるのが、セルフサービスのオレンジジュースマシンです。ほしいサイズのボトルをセットしてスイッチを入れると、上部のかごに入っているオレンジがマシンの中に入っていき、スパッとふたつにカットされて果汁をギュギューッ。目の前でジュースができていきます。

以前はパック入りのジュースを買っていましたが、搾りたてのジュースはヘルシーだし、おいしさも格別。作るのもなんだか楽しくて、今ではすっかり生搾り派です。

107 été

日本とは少し違う犬との付き合い方

街の中では犬にリードをつけておくのがルールですが、公園では多くの犬がノーリード。それでも、飼い主を残して犬が好きなところへダッシュしていく場面は見たことがありません。知らない人とも他の犬とも落ち着いて関われる犬ばかりです。

犬を飼っている日本人の知り合いによると、フランス人のパートナーは犬をとても大切にするけれど、ベタベタしない。関係性の基本は「犬が人に従う」ことで、トレーニングも厳しめなのだそうです。おそらくこれは、犬がノーリードで歩く生活が前提となっているから。飼い主との関係作りがきちんとされているから、結果的に犬の自由度も高まる、ということなのでしょう。

108

街のあちこちにある犬用ゴミ袋ボックス

初めて見たとき少し驚いたのが、街の中や公園のあちこちにある小さなボックス。犬のイラストに、「ご自由にどうぞ」の文字が添えられています。

箱の中に入っているのは、犬の排泄物を処理するための小さなゴミ袋です。1枚ずつ引き出せるようになっており、必要な人は無料で使えます。飼い主がゴミ袋をもち歩かずにすむ、便利なシステムです。また、日本では拾ったものを自宅にもち帰るのが普通ですが、ベルギーでは公共のゴミ箱に捨てても構わないようです。

ただし、飼い主がきちんと処理するのは、道路や舗装されたところだけ。土の上には犬の落とし物が放置されているので、公園などでは少し注意が必要です。

109 été

日曜日はヘルシーに外遊び

日曜日は、基本的に会社や店はすべて休業。観光客が多いブリュッセルの中心部で、飲食店が営業しているぐらいです。スーパーマーケットも薬局も日曜休み。ちなみに僕が働いているパティスリーは午前のみの営業です。宅配便などのサービスもストップします。

日曜日にはショッピングもできなければ、これといって遊びに行く場所も思いつかない。というわけで、僕も含めて多くの人が繰り出すのが公園です。散歩やジョギングをしたり、家族でバドミントンをしたり。「遊びに行くところがない」という消去法で外遊びをしているのかもしれませんが、こんなアナログかつヘルシーな休日の過ごし方も悪くないものです。

été 110

地震はないけれど雷は激しい

僕が働く店のオーナーは、ベルギーに30年近く住んでいます。その間、体に感じるような地震は1回しかなかったとか。そんな地域のせいか、地震対策をしている人には会ったことがありません。

僕の家でも、家具を固定せずに使っているし、クローゼットに洋服の収納ケースを積み重ねてあるし……。地震のない生活に適応してしまったため、日本に戻ることになったら気を引き締めなおさなければ！と思っています。

ただし、雷は日本より怖い！　街の中に森のような公園があるせいで、落雷が珍しくありません。夜中に地響きがした翌日、公園をのぞいてみたら巨木が倒れて真っぷたつになっていた、なんてこともありました。

111 été

抹茶ラテにはご用心

こちらで「もち」といえば、大福などに使われる求肥《ぎゅうひ》を指します。フランスから北海道に移住した友人は、日本のもちを見たとき、「これじゃない！」と思ったとか。

また、抹茶に関しても日本とは感覚が違います。抹茶はベルギーでも人気ですが、香りや苦みが苦手な人も少なくありません。そのせいか、抹茶を使ったドリンクはどれもめっちゃ薄い！　抹茶ラテを頼むと、お湯で薄めた牛乳に抹茶をほんの少し入れたものが出てきます。

抹茶のムースケーキを日本人の友だちにおすそ分けしたとき、濃厚すぎてベルギー人のパートナーは食べられなかったそう。抹茶本来のおいしさが受け入れられるようになるまでには、まだ少し時間がかかりそうです。

été 112

簡単には謝りません

カフェで紅茶を頼み、ポットからカップに注ごうとしたら、注ぎ口が詰まっていました。店員さんに言うと、「オッケー、新しいのもってくるね」。

予約して行った病院で１時間以上待たされたときは、「私の診察室の隣で工事をしていてうるさいから、静かな部屋が空くのを待ってたのよ」。

以前なら、「“申しわけありません”ぐらい言ってもいいんじゃない？」とカチンときたでしょう。でも、「謝らない」のはこちらの文化。相手に悪気はないとわかってからは、スルーできるようになりました。今ではたまに「ごめんね」なんて言葉を聞くと、「まさか今、謝られた？」とびっくりしてしまいます。

113 *été*

店員が冷たいのは意地悪だからじゃない

ホームセンターで探しているものが見つからず、近くにいたスタッフに売り場の場所を聞きました。彼は別のスタッフを指さし、「あの人に聞いて」とひと言。冷たいような気がしますが、これは普通の対応です。

日本の店のスタッフは品出しもすれば商品説明もするオールラウンド型ですが、こちらでは商品を陳列する人、お客の案内をする人、会計をする人、と役割がはっきり分かれており、担当以外の仕事はできません。質問に答えてくれないのは、単に「案内は自分の仕事ではないし、自分は持ち場を離れることができない」という意味。「僕のフランス語がヘタだから適当にあしらわれた？」なんて傷つく必要はないんです。

été　114

甘い豆のパンケーキサンドとは？

ベルギーはわりと健康志向の人が多いため、ヘルシーなイメージの日本の食べ物も人気。以前は砂糖を入れるのが普通だった緑茶をストレートで飲む人が増えてきたように、本来の味わい方も広まってきました。

クリームやバターを使わない和菓子に注目する人も出てきていますが、好き嫌いが分かれるのがあんこ。ただし苦手な人も、味が嫌いというより、豆を甘く煮るのが受け入れられない……ということが多いんです。

何も知らずにどら焼きを食べれば、「おいしい」と喜ぶ。でも、食べる前に「甘く煮た豆をパンケーキではさんだお菓子だよ」と説明すると、食わず嫌いを発動してしまう。あれ？　これって僕の説明のしかたがまずいのかな？

115 *été*

秒でできるお手軽デザート

ベルギーで暮らしはじめて間もない頃、スーパーマーケットで気になるものを見つけました。乳製品売り場にある、小さな白いパッケージに入った「何か」。フランス語がまだまだだったため、正体がわかりませんでした。

サイズ感はちょうど、日本で売られているベビー用のヨーグルトぐらい。好奇心に負けて買ってみたのですが、これが大正解！　中身はフロマージュブランでした。

ベルギーやフランス原産のチーズで、味や食感をひと言で言うなら、「限りなくチーズ寄りのギリシャヨーグルト」。ただし、日本で手に入るものよりずっとおいしい！　大きさもほどよく、ジャムを添えたり果物と合わせたりすれば、それだけで大満足のデザートになります。

生ハムが止まらない

職場と自宅の間に、お肉屋さんがあります。こちらに来て間もない頃、僕はその店の超常連でした。その理由は、生ハムのおいしさに目覚めてしまったからです。

おいしさの理由は、まず鮮度。これまで食べてきたものとは風味がぜんぜん違うことに感動しました。そして、口当たり。日本で売られているものよりずっと薄く、フワフワした食感がたまらないのです。

おいしすぎる生ハムにはまってしまい、帰宅途中で毎日のようにお肉屋さんに寄り道。自宅の冷蔵庫には常に生ハムの包みが入っている状態をキープしていました。見かねた妻に「ハム類は塩分が高いんだよ！」と注意され、最近は食べすぎないように気をつけています。

簡単だけどリッチな味わい

フロマージュブラン&ワイルドなメロン

材料と作り方:2人分

1 小さめのメロン1個は、横半分に切って種とワタをくりぬくように取る。

2 種などを取り除いたくぼみに、それぞれフロマージュブランまたはギリシャヨーグルト60gをのせる。

とろっと溶け出すハムの脂がごちそう！

ふわふわ生ハムのタルティーヌ

材料と作り方：2人分

1 好みのパン（バゲットやチャバタなど）2人分をトースターでカリッと焼く。

2 **1**の上に好みの生ハム（イベリコ、パルマなど）やサラミソーセージを適量のせる。

3 好みで、粉チーズやブラックペッパーをふる。

117 été

おみやげは配らなくてOK

家族でオランダに行ったとき、友人に配るおみやげとして小箱入りのワッフルを10個ほど買いました。おいしくて人気のワッフルなのに、たくさん買っているのは僕たちだけでした。

こちらには、日本のようにおみやげをやりとりする習慣がありません。余計な気をつかわなくてすむよさもある半面、おみやげ交換に慣れている僕たちにとっては物足りなさもあります。

とはいえ、実際に友人へのおみやげを買おうとすると悩まされることも。おみやげ文化がないせいで、日本の「ご当地もの」のような、安くて気のきいたアイテムが見当たらないからです。

été 118

ビュッフェの食材でセルフサンドイッチ

　旅先のホテルでビュッフェ形式の朝食をとっていたときのことです。隣のテーブルの人が、丸いパンの側面にナイフをブスッ！　そのままぐるっと回して厚みを半分にスライスしました。そして、パンの間にハムをはさんでパクッ。その後、注意して見ていると、同じような食べ方をする人が少なくありませんでした。

「パンはちぎって食べる」と思い込んでいましたが、カジュアルな場ならこんな食べ方もアリのようです。サンドイッチを作る一連の動作は、とてもスマート。「パンやナイフを扱いなれた人」ならではの余裕が漂っていました。僕だって「お箸でごはんに焼きのりを巻く」なんてことなら、同じぐらいスマートにできるんだけど。

119 été

人気食材スリミの正体

スーパーマーケットで見かける「スリミ（SURIMI）」は、日本発の人気食材。表面が赤くて中は白い……そう、カニカマです。カニカマそのもののほか、ゆで卵と合わせてマヨネーズであえたサラダもスリミと呼ばれています。カフェのランチにもスリミのサンドイッチがあるし、マルシェで魚屋さんが売っている「カニサラダ」に使われているのもスリミ。日本のカニカマは、ベルギーの魚屋さんも認めるおいしさ、ということなんでしょう。

もうひとつ気になるのが、「タラマ（TARAMA）」。本来のタラマは魚卵を使ったギリシャ料理ですが、こちらで売られているのは、まさにたらこマヨネーズ。日本を思い出させる味です。

été 120

「オリジナルグッズ」が見当たらない

家族で動物園に行ったとき、グッズ売り場をのぞいて笑ってしまいました。日本だったらイケメンゴリラのＴシャツとかハシビロコウのマグカップとか、その園のオリジナルグッズがいろいろありますよね。でも、そこに並んでいたのは、どこかで見たことがあるような象の置き物にライオンのぬいぐるみ。隣の市の動物園でも、たぶん同じものを売っているんじゃないかと思います。

アイデアで勝負するような商品が少ないのは、定番を愛する国民性のせいなのか、それとも単に商売っ気がないのか。ベルギーにはよいところもたくさんあるけれど、おみやげ売り場だけは日本のほうが100倍楽しい！と断言することができます。

121 *été*

フルーツみたいなトマト

八百屋さんの店先に、色や形がさまざまなトマトを入れた箱が並んでいました。箱に書かれたキロあたりの値段が同じなら、好きなトマトを選べます。使い道を考えながら、赤、黄色、緑、細長いのに小さいの、などと袋に入れていくのは、なかなか楽しい作業です。

以前、「トマト祭り」のようなイベントに遊びに行ったこともあります。農場の庭で行われるトマトの品評会のような催しなのですが、並べられているトマトの種類も量もすごかった！　品種によって味や食感は微妙に違いますが、ヨーロッパのトマトは、全体的に日本のものより味がはっきりしています。甘味と酸味のバランスのせいか、フルーツに近いおいしさです。

注文の品が届いたらラッキー

新作のお菓子に特別なチョコレートを使いたくて、業者さんに電話で問い合わせをしました。相手は「あるかどうかわからないけど、あったらもっていくね」と言って、ガチャン。いやいや、あるかないかだけでも、調べて教えてくれてもいいんじゃない……？

配達に来たスタッフに、「頼んでおいたチョコレートはあった？」と聞くと、「なかったから、かわりにコレをもってきた」。うーん、それじゃダメなんですけど？

こんなことはベルギーでは日常茶飯事。最初はイラッとしましたが、今では「届けてくれたらラッキー」と思えるようになりました。もちろん仕事のスケジュールも、「頼んだものが届かない」という前提で組んでいます。

123 été

ベルギーの人が好きな水は……

日本では水分補給として麦茶や日本茶を飲むこともありますが、こちらでは、お茶は「味わうためのもの」という位置づけのようです。水分補給のために選ぶ飲み物は「水」一択。2L入りのミネラルウォーターのペットボトルがバッグからニョキッと顔を出していたり、そのまま抱えて歩いていたりする人もよく見かけます。

なかでも人気が高いのは、「スパ（SPA）」や「ブリュ（BRU）」。とくにスパは「ベルギー人御用達」ともいえるミネラルウォーターのブランドです。おもしろいのは、フランスに入ったとたん、店でスパを見かけなくなること。フランスでスパのボトルをもち歩いていると、間違いなく「ベルギーから来た人」と見抜かれます。

森ですか？　公園ですか？

ベルギーの地図を見ると、市街地に緑色の部分がたくさんあります。これらは大きな公園なのですが、日本の公園にくらべるとかなりワイルドです。

そもそも公園の名前が「カンブルの森」「ソワーニュの森」などというところも。つまり、敷地の中に「森」が広がっているんです。

森には古い木も多いためか、常に見回りのスタッフが巡回しています。目印は緑色のジャケット。公園内の木の状態をチェックして、危険な枝を落としたり植物を植えたりしているようです。一見、手つかずのようだけれど、植物と利用者の安全を守るため、市街地の森はしっかり管理されているみたいです。

125 été

リスにはスマホを向けません

ブリュッセルはベルギーの首都。でも、日本の首都・東京とは「都会度」が違います。古い建物や石畳が残されていたり、街の中に「ほぼ森」みたいな公園があったり。都会ではあるけれど、野生の動植物とも共生しているような感覚があります。

公園内の大きな森には、さまざまな動物が生息しています。鳥やリス、野ウサギ、テン、キツネ、場所によってはイノシシなどもいるとか。公園に散歩に行くと、リスや野ウサギがあちこちをチョロチョロ。東京でリスに会ったら物珍しさから写真を撮りたくなりますが、こちらではごくあたりまえの光景。わざわざバッグからスマホを取り出す気にはなりません。

すしのわさびはしょうゆに溶いて

日本の食文化は、ここ数年、とくに注目されているような気がします。豆腐や納豆、みそ、昆布、うまみ、などの単語は、日本語の発音でそのまま通じます。ただしフランス語圏の人には、「SO」の発音が難しいらしく、みそを「MIZO」と発音します。

意外なものでは、山椒も認知度が高めです。おそらく、チョコレートなどに使われることがあるせいでしょう。すしに欠かせないわさびは、実は「大好き！」という人が多い食材です。でもわさび入りのすしは、ジャパニーズスタイルの高級品。本格的なおすし屋さんでしか食べられません。手軽なすしはさび抜きが基本です。わさびは、好みの量をしょうゆに溶いて使います。

127 été

専門店でチーズを買うのは簡単

スーパーマーケットにも日本の５～６倍の種類のチーズが置かれていますが、せっかくなら専門店で買うのがおすすめです。チーズ屋さんでは、大きなチーズはその場でカットしてもらうことができます。最初は「フランス語が下手だから無理！」と思っていましたが、思いきって試してみたら、拍子抜けするほど簡単でした。

まず、ほしいチーズを指さします。そしてほしい量を伝えるのですが、「100g」などと言う必要はありません。「1cm」などと伝えてもいいし、指で「このぐらい」と示すだけでも大丈夫。店の人はチーズにナイフを当て、「このぐらい？」などと聞いてくれるので、うなずいたり首を振ったりすれば買い物が成立するんです。

été 128

日本の業者さんがありがたすぎる！

日本に一時帰国してお菓子の販売をしたとき、食材をお願いした業者さんの対応に感動しました。ベルギーでは注文したものが抜けていても「あ､忘れちゃった」「次回もってくるね」｡「これならスーパーでも売ってるから、買いに行けば？」なんて言われたこともあります。

いつの間にかこんなやり方に慣れてしまっていた僕にとって、日本のスタイルは新鮮。抜けや間違いがないだけでもありがたいのに、ちょっとした相談に少し無理をして対処してくれたり、発注側として立ててくれたり。ヨーロッパと日本にはそれぞれのよさがあるけれど、日本のよさのひとつは、細やかで親切な食材業者さんの存在なんじゃないかな、と思いました。

129 automne

ぶどうは皮も種も食べるのが基本

日本との違いに驚いたことのひとつが、フルーツを皮ごと食べる人が多いことです。りんごならわかるけれど、皮がそこそこかたい洋なしなども丸かじりする人が少なくない。アプリコットやネクタリンも、皮ごと食べるのが普通です。

個人的に少し困るのが、ぶどうです。日本のシャインマスカットのように皮が薄く種がないものなら問題はありませんが、こちらの人は、どんなぶどうでも皮をむいて食べることはありません。皮ごと口に入れ、種ごとボリボリ噛んでのみ込むのです。人と一緒にいる場合は、しかたがないのでゴクッといきますが、皮はかたいし、種は苦い！　できれば、取り除いて食べたいなあ。

「ノーマイカーデー」は年に一度のお楽しみ

9月の第3日曜日は、「ノーマイカーデー」。ブリュッセル市内は車やバイクの通行が禁止になります。朝から夕方まで、市内を走れるのはバスやタクシーと救急などの緊急車両だけ。自家用車が使えないかわりに、この日はバスやトラムに無料で乗ることができます。

この取り組みのことを初めて聞いたときの感想は、「超迷惑じゃん」。でも当日、街に出てみて驚きました。車道には自転車が繰り出し、子どもの三輪車を押したり、ローラースケートをしたりする人もいます。不便さに文句を言うのではなく、楽しんでしまう姿勢は本当にすごい！　今では、僕もチャイルドシートつきの自転車に息子を乗せて、年に一度の車道の爆走を楽しんでいます。

世界一美しい駅

アントワープ中央駅は「世界一美しい駅」ともいわれ、駅そのものが観光地として知られています。100年以上前に建てられた美しい駅舎は、国の重要文化財にも指定されているそうです。

駅の中は吹き抜けになっていて、壁や手すりなどの装飾も豪華！　天井も高く、駅というより立派な教会にいるような気分になります。

地上を走る電車とメトロの両方が乗り入れる大きな駅なので、内部はかなり複雑です。プラットフォームが上下に並んでいるので、自分が何階のどこにいるのかわからなくなりそうに……。方向感覚に自信がない人は、下調べしてから行くことをおすすめします。

ヴィーガンでもメニュー選びに苦労しない

ムスリムがお肉を避けるのは宗教上の理由からですが、美容や健康目的のベジタリアンやヴィーガンもたくさんいます。少し意外だったのが、食事制限の方法がゆるやかな人が多いこと。外食ではなんでも食べるけれど自宅では食材を選ぶ「家だけヴィーガン」や、体調や気分に合わせた「たまにベジタリアン」は珍しくありません。

気軽に「ヴィーガンになってみる」なんてことができるのは、外食のヴィーガンメニューが充実しているからじゃないかな、と思います。レストランはもちろん、ファストフード店にはヴィーガンバーガー、ラーメン店にもヴィーガンラーメン……。どこに行っても、「食べられるものがない！」なんてことは、まずありません。

133 *automne*

ビール祭りは予習が肝心

ブリュッセルの中心にあるグランプラス（p113）では、秋にビール祭り（ベルギービールウィークエンド）が行われます。普段はグランプラスへの出入りは自由ですが、イベント期間中は会場が柵で仕切られ、たくさんのビール醸造所の屋台が並びます。

来場者は入口でチケットを買い、屋台でチケットとビールを交換します。売られているビールの種類が多く、会場も混み合うので、事前に飲みたいものを決めておくのが正解だと思います。「ビールを飲む」ことに特化されたイベントなので、出しものなどは何もありません。売られているのも、ほぼビールだけ。おつまみがほしい人は、ポテトチップスでももっていくのがおすすめです。

じゃがいもなら北海道産よりベルギー産

ベルギー人にとってのじゃがいもは、日本人にとってのお米のようなもの。毎日の食卓に、なくてはならない食材です。お肉料理のつけ合わせやファストフードとして愛されるフリッツ（フライドポテト）をはじめ、オーブンで焼く、蒸す、ゆでる、スープに入れる、マッシュポテトにするなど、食べ方もさまざまです。

日本のものより小ぶりで、大きなものでも野球のボール程度のサイズ。ねっとり＆しっとりした食感で、信じられないほど味が濃い！　日本の野菜は味わいが繊細でおいしいけれど、じゃがいもだけはベルギーの圧勝です。おいしいいもを知ってしまった今の僕には、名産地・北海道のじゃがいもでさえ物足りなく感じられます。

135 automne

スーパーマーケットにも犬と一緒に

レストランやスーパーマーケット、ショッピングモールなどでも、犬を連れた人をたくさん見かけます。日本でも犬を受け入れる施設は増えているようですが、まだ「犬と一緒に行けるところは特別」というイメージです。

でもこちらでは、犬連れOKが基本。入店できないのは、パティスリーなど、そのまま食べる食品を扱う店ぐらいです。そういった店には「犬は店内に入れません」のような表示があり、店の前には犬のリードをつなぐための柱なども用意されています。

犬と一緒にできることが多い分、トレーニングも必須。どの犬も飼い主さんの横を歩く、むやみに吠えないなどのマナーを身につけています。

ポールが並ぶ駐輪場

自転車で移動するときは、目的地に安全な駐輪スペースがあるかどうか確認しておくことも大切。残念ながら、自転車を盗まれることも少なくないからです。

「安全な駐輪スペース」とは、自転車をくくりつけるポールがある場所のことです。日本では、鍵で解錠する箱形やリング形のロックが主流ですよね。でもこちらでは、そのタイプは通用しません。

自転車のロックといえば、手錠のようなゴツいチェーンが定番です。「簡単には切れないぜ！」としっかりアピールしてくれるチェーンで、ポールにしっかりくくりつけておくのが基本。店の前や住宅地には、駐輪用のポールがたくさん並んでいるエリアもあります。

ドライフルーツの使いみち

マルシェには、ドライフルーツ屋さんもあります。専門店だけあって、種類が豊富。レーズンやマンゴーをはじめ、ココナッツやネクタリン、ミラベルなど日本ではあまり見かけないものもそろっています。ドライフルーツのほか、にんじんやインゲンなどを乾燥させた野菜チップスやナッツ類も買うことができます。

ドライフルーツやチップス、ナッツ類の出番は、おもにアペロのおつまみやおやつです。そのほか、甘いドライフルーツをチーズやサラミと合わせたり、刻んでサラダにちらしたり。クスクスにも、必ずといっていいほどレーズンが入っています。料理に砂糖を入れるのは抵抗があるのに、フルーツの甘みなら許せるようです。

何かが違うBENTO

日本のお弁当はすごい！というのは、もはや世界の常識。「BENTO」という言葉も通じるようになり、「BENTO BOX」も売られています。ただし、「本物のお弁当」を知っている僕たちに言わせれば、海外のBENTOの中には、ちょっと違うのではというものも。たとえば、パスタがドーンと入っていたり、ごはんの上におかずがちょこっとのせられているだけだったり。つまり、弁当箱に入れさえすればBENTOなんだ！という考え方もあるようなんです。

日本人の友人は、会社員の夫に毎日、日本風のお弁当を作っています。作り続ける原動力は、本物のお弁当を周りの人に知ってほしい！という思いなのだそうです。

139 automne

スーパーマーケットでも野菜は量り売り

野菜やフルーツは、スーパーマーケットでも量り売りが基本です。山積みにされた野菜をほしい分だけ袋に入れ、売り場にある計量器へ。出てきたバーコードつきのシールを袋にペタッと貼ってレジで会計します。

店のシステムや商品の種類によっては、売り場にいるスタッフが袋詰め＆計量してくれる場合もあります。でも、ここはベルギー。日本のように「300gください」と頼むと、「少々多めの315gになりますが、よろしいですか？」と確認してくれる……なんてことは期待できません。相手の手元をしっかり見ていて、「もういいです！」と強めに言うことが肝心。ぼんやりしていると、どんどん詰め込まれてしまいます。

「そぼろ」には向かないひき肉

ひき肉で和風のそぼろを作りたいときは、「スパイスなし」と表示されているひき肉を探す必要があります。こちらでは、ひき肉はスパイスなどを混ぜた状態で売られているのが普通だからです。

見た目や味、香りから判断すると、混ぜ込まれているのはナツメグなど数種類のスパイスやハーブ類。どうやっても、和風の味にはなりません。

こちらでひき肉を使う料理といえば、大きめの肉だんごをトマトソースなどで煮込んだブーレットや、パスタと合わせるボロネーゼなど。こういった洋風の料理を作るなら、スパイスなどが混ざったひき肉はひと手間省けるありがたいものなんでしょう。

141 *automne*

魚の「生食OK」は「新鮮だよ」の意味

魚を生で食べる和食の文化も広まってきたけれど、刺身を食べなれている僕たちとはまだまだ感覚が違う部分も。たとえば、マルシェや街の魚屋さんの中には、「生食OK」の魚も扱う店があります。そんな店では、僕たちが日本人だとわかると、「うちの魚は新鮮だから大丈夫！」「おいしいから生で食べてね」などと自信たっぷりに勧めてくれます。

でも魚の扱いを見ていると、加熱用の魚に使うのと同じ包丁で刺身を切り分けていたり、さばきにくい魚をハサミでチョキチョキ切っていたりと、少し気になることも。「生で食べてね」は「新鮮だよ」という程度の意味で使われている言葉だと思うことにしています。

automne 142

ベルギー人ムッシュがさばく美しい刺身

刺身が食べたいとき、買いに行く魚屋さんは一択です。日本出身者のコミュニティで口コミで広まり、行ってみたら納得。ほかの店とはレベルが違います。

店主はベルギー人のムッシュなのですが、衛生管理がしっかりしているし、刺身の仕上がりもとてもきれい。日本で修業してきたという噂ですが、たしかに魚の扱い方には一流の板前のような安心感があります。

おまけに、刺身をひと切れ単位で売ってくれる！　3～4種類を盛り合わせて大人ふたりが満足できる量を買っても、日本円のイメージで3000円ぐらいという良心価格です。あえて残念な点を挙げるとすれば、人気が出すぎて買えない日があることぐらいです。

乳製品上級者の10分パスタ

友人が作ってくれたパスタは、10分でできるのに、味も見た目もリッチ！　今でも忘れられないひと皿です。

ガーリックやスパイス入りのクリームチーズと生クリームを鍋で温め、そこにスモークサーモンを投入。最後に粉チーズを加え、ゆでたパスタにかければ完成です。味付けいらずだし、サーモンはパックに入っている台紙の上でカットするからまな板も使いません。

通常はパンなどに塗って使うタイプのクリームチーズを加熱してソースにすることも、生クリームや粉チーズと重ねづかいして味を深めることも、僕にはとても思いつきません。酪農大国・ベルギーで暮らす乳製品上級者ならではのレシピなんじゃないかな、と思います。

料理にもフルーツを！

イタリアンのオードブルの定番「生ハム＆メロン」は、正直、あまり好きではありませんでした。でも今は、生ハムとフルーツの組み合わせが大好き。とくに、桃やいちごとの相性は抜群だと思います。このおいしさに目覚めたのは、僕の味覚が成長したためなのか、単にベルギーの生ハムやフルーツがおいしいからなのか。そのあたりは、自分でもよくわかりません。

デザート以外の料理にフルーツを使うのは好き嫌いが分かれるところですが、まずはサラダなどから試してみてほしいと思います。おすすめは、葉もの野菜＋季節のフルーツ＋生ハム＋フレッシュチーズ。見た目も華やかなので、おもてなしにもぴったりです。

チーズと好みのフルーツを合わせて

妻の特製サラダ

材料と作り方

3～4人分

1 器にサニーレタスやルッコラ、ベビーリーフなど約300gを盛る。

2 **1**の真ん中にブッラータチーズ（またはモッツァレラなど好みのチーズ）をのせる。

3 チーズの周りに好みのフルーツ（フランボワーズ、桃、ブルーベリー、イチゴなど）、半分にカットしたプチトマトとオリーブ各適量をちらす。

4 好みの生ハム適量を飾る。

5 煮つめたバルサミコ酢（なければ普通のバルサミコ酢）、エクストラバージンオリーブオイル各適量を回しかけ、好みでブラックペッパーをふる。

145 *automne*

店を出るまではレシートを捨てちゃダメ

買い物をする際、商品を直接マイバッグに入れてもルール違反ではありません。でも、会計漏れや万引きなども起こりやすいせいか、最近では出入口にセキュリティのスタッフがいる店も増えました。

衣料品などにはレジを通らずに外に出ると音が出る防犯タグがついていることも多いのですが、残念なことに誤作動が珍しくない！　支払いをすませているのに、ピピピピ……。コワモテのセキュリティのスタッフに「ちょっとバッグを見せて」なんて言われるわけです。

こんな場面で潔白を証明してくれるのが、レシートです。つい丸めてバッグに突っ込みたくなってしまいますが、店を出るまではしっかりもっておくと安心です。

大聖堂でネロとパトラッシュに会える？

アントワープの「ノートルダム大聖堂（聖母大聖堂）」は、世界遺産に登録されている塔をもつ大きな教会。ただし日本では、美しい教会であることより『フランダースの犬』の舞台として有名なのではないでしょうか。

教会の中には、アントワープで暮らしていた画家・ルーベンスの作品がいくつか飾られています。その中のひとつが、ネロとパトラッシュが最後に眺めた絵！　ただし、それを目当てに教会を訪れるのは日本からの観光客ばかりのようです。『フランダースの犬』は、ヨーロッパでは不人気……というより、まったく知られていません。聖堂の中で見たネロとパトラッシュの記念碑も、現地の人には「?」という存在なんじゃないかな？

147 automne

マルシェでは試食も OK

ワインの本場だけあって、ぶどうの種類もたくさんあります。紫色のものからグリーンのマスカット系、微妙な中間色のもの……。とくにマルシェにはさまざまなものがあり、品種名を覚えるなんてとても無理！　それでも、きちんと自分好みのものを買うことができます。

その理由は、試食できることが多いから。迷ったときは「味見していい（ジュプ グテ／ Je peux goûter）?」と聞くと、ほとんどの場合、「もちろん」。「試食したら買わないと悪い」なんて、日本式の気づかいはいりません。食べて気に入ったら買えばいいし、今ひとつだったら「ありがとう、やめておくね」と言って帰る。買わないからと店の人が気を悪くすることはありません。

ツルンよりサクサクが好まれる

「おいしさ」には、味や香りに加えて食感も関わってきます。ベルギーで仕事を始めて気づいたのは、「サクサク感」が好まれるのかな？ということです。

日本とくらべると、フルーツゼリーのようなツルンとしたものはやや不人気。でも、中にサクッとした口当たりのものを少し加えたムースは喜ばれる……。そういえば焼き菓子も、シフォンケーキのようなフワフワしたものより、どっしりした噛みごたえのあるものが人気です。

外がカリッ＆中がフワッのメレンゲもみんな大好き。ケーキの仕上げにフィアンティーヌ（薄焼きクッキーを砕いたもの）を使ったものも好評でした。お菓子に関しては、「食感の楽しさ」が重視されるのかもしれません。

149 *automne*

あいづちの流儀

ごく普通に「うん、うん」とあいづちを打ちながら話を聞いていただけなのに、その様子をからかわれたことがあります。「日本の人って、うんうんうん！ってやるよね？」と、高速で「うん」と言いながら首をカクカク。いやいや、いくらなんでもそれはオーバーでしょ？

僕に言わせれば、「きみだってやってるじゃん！」。実際、彼だってうなずいたりあいづちを打ったりしています。僕との違いをあえて探すなら、日本流のあいづち＆うなずきのほうが、小刻みで力強いことぐらい。「郷に入れば郷に従え」ということで、「うん」は控えめにすることを心がけています。でも日本人同士で話すときは、自分を解放。思う存分、うんうん＆カクカクしています。

ムール貝にフォークは使わない？

ベルギーの名物でもあるムール貝は、大人気の食材です。シンプルなワイン蒸しが定番ですが、生クリームなどを加えてアレンジしている店もあります。

あるレストランで教わったところによると、ムール貝の食べ方は、身を食べた後の殻をトングのように使うのが正式なのだとか。とはいえ、実際には皆がしているわけではなく、カジュアルな店ではフォーク派が主流です。

レストランでは、ムール貝はメイン料理の扱い。一人前がバケツ一杯分ほどあります。本音を言えば、ふたりでシェアしたいのですが、そんなことを言うと「ムール貝のおいしさをわかってないな」という顔をされます。それもくやしいので、根性で一人前食べきっています。

151 *automne*

準備に手間をかけないおもてなし

ディナーに誘われて友人の家に行くと、出てきたのはホットサンド。パンに厚切りチーズとハム、ドライトマトをはさんでフライパンで焼いた簡単メニューです。

一瞬「え？　これが夕食？」と驚きました。でも、食べてみるとちょっとおしゃれな味で、ボリュームも十分。こんな夕食もアリだな、と思わされました。

何よりいいのが、調理が10分ほどで終わることです。招いた側がキッチンでずっと忙しそうにしていると遠慮してしまうけれど、すぐにできるものなら「大変だったでしょ？　ごめんね」なんて思わずにすみます。お互いにとって負担が少ないベルギー式のおもてなし、いつか僕もまねしてみたいと思っています。

秋のきのこいろいろ

秋になるとたくさん出てくるきのこも、日本とはだいぶ顔ぶれが違います。香りのよいポルチーニ茸、コリコリした食感のジロール茸、「羊の足」という変わった名前のピエドムートン。マッシュルームは小さなものから特大サイズまでそろっています。

もちろんトリュフも人気ですが、さすがにヨーロッパでも高級品。スーパーマーケットやマルシェに並んでいるのはトリュフそのものではなく、トリュフ塩にトリュフマヨネーズ、トリュフバルサミコ……。日本で松茸の香りのお吸いものが喜ばれるのと似ている気がします。ちなみに、松茸は不人気。ヨーロッパの人にはあの香りの素晴らしさが理解できないようです。

衣替え……って何？

季節が少しずつ移り変わっていく日本では、春と秋に衣替えをする人が多いはず。衣替えをする前に想定外の暑い日や寒い日があると、着るものがなくて困る……なんて経験はだれもがしていると思います。

ベルギーは年間を通して日本より涼しいけれど、気候の変動が大きいような気がします。昨日まで半袖だったのに、今日はいきなり寒い、なんてことも起こります。そんな日に外に出ると、皆、暖かそうな服を着ている！友人に「どうして急に秋〜冬ものの服を出せるの？」と聞いたところ、「は？」という反応。こちらには衣替えの習慣がなく、常にオールシーズンの服がクローゼットで待機しているのだそうです。

ガレージはお父さんの秘密基地

一戸建ての家は、2階がリビングなどの居住スペース、1階はガレージになっていることがほとんど。ただし、ガレージといっても、ただの車庫ではありません。

ベルギーの男性には日曜大工が好きな人が多く、腕前もなかなかのもの。ちょっとした家具の修理や壁の塗り替えなどは、自分でやってしまいます。そして、そのための道具が収納されているのがガレージ！　きっちり整頓された棚や壁には、金づちやのこぎりなどの基本アイテムに加え、高圧洗浄機や電動のこぎりといった本格的な工具もずらりと並んでいます。おもしろそうなもの満載のガレージは、まさにお父さんの秘密基地。DIYが好きな僕にとっては、憧れのスペースです。

155 *automne*

週末にパンを買うのは男性の仕事

週末のパン屋さんは、平日と少し様子が違います。店に並ぶパンの量が多く、男性客が大幅に増えるのです。

ベルギーでは、週末にパンを買いに行くのは男性の仕事とされているようです。焼きたてがおいしいクロワッサンなどはその都度買うのでしょうが、バゲットなどは数日分をまとめ買いするのが普通。そのため、週末にはパンがたくさん売れるんです。

こちらのパン屋さんには、なぜかバゲットがすっぽり入る袋がありません。紙袋に入れてもバゲットが顔を出しているし、パンの真ん中にくるっと紙を巻いてくれるだけの店も。週末のブリュッセルでは、大量のパンを抱えて街を歩く男性の姿があちこちで見られます。

かたくなったパンはパンペルデュに

　週末にパンをまとめ買いする人が多いためか、「すぐに食べない」タイプのバゲットも売られています。特徴は、普通のものより焼き色が薄いこと。食べる直前に水をスプレーしてトーストすることで、食感や味を焼きたてに近づけることができます。

　とはいえ、週の後半まで残ったパンはカチカチに。それをおいしく食べるために考えられたのが、フレンチトーストとも呼ばれる「パンペルデュ」です。パンペルデュとは「失われたパン」という意味。卵と牛乳のやさしい味は、子どもも大好き。古いパンを有効活用できるから、大人もうれしい！　生活の知恵から生まれたパンペルデュは、家族みんなが喜ぶひと皿です。

157 *automne*

フルーツは身近なおやつ

ベルギーの暮らしでうれしいことのひとつが、フルーツの種類が豊富なこと。気候や土のせいなのか、栽培方法の違いなのか、どれもおいしい！　日本で食べるものより風味が豊かで、野性味あふれる味わいです。

価格も比較的手頃なので、どこの家にもフルーツの買いおきがあります。大きなお皿やかごにドサッと入れておき、ほどよく熟したものから食べていきます。

手軽な食後のデザートとしてはもちろん、おやつとしてもフルーツは人気。道を歩きながら食べている人もよく見かけます。バスに乗ったとき、座席の横の隙間にりんごの芯が押し込んである……なんてことが起こるのも、日常的にフルーツを食べる国ならでは、なのかな？

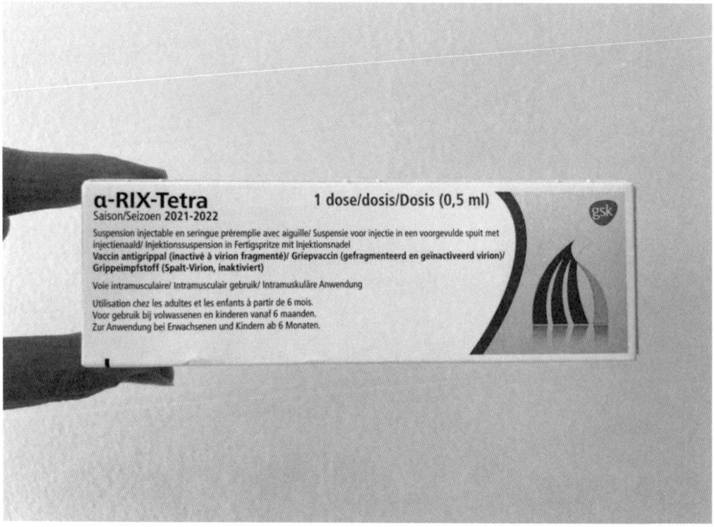

冷蔵庫にあるあやしい薬の正体は？

帰宅して冷蔵庫を開けると、小さな箱が入っていました。これまでにも似たものを見たことがあるので、中身の見当はつきます。たぶん……何かのワクチンです。

ベルギーでは、予防接種を受けるのもなかなか面倒です。まずホームドクターに予約を取って受診し、接種したいワクチンの種類を伝えます。診察後、医師から処方箋を受け取り、あらためて接種日を予約。そして処方箋をもって薬局に行き、ワクチンを受け取ります。それを自宅で保管し、予約した日にホームドクターのところへもっていって接種してもらうのです。ワクチンは冷蔵庫で保存するのが基本。最初は驚いたけれど、今では卵の隣にワクチンがあっても違和感を覚えなくなりました。

159 *automne*

小便小僧は意外に小柄

シンガポールのマーライオン、デンマークの人魚姫像、そしてベルギーの小便小僧。世界の「三大がっかり」といわれている名所です。がっかりの理由はいろいろでしょうが、小便小僧の場合ははっきりしています。

ブリュッセルの中心・グランプラス（p113）の近くにあり、「世界各地にある小便小僧の本家」という立派な肩書ももっているのですが、なんとも残念なことに、小さい！　身長はわずか55cmです。前もって小さいと聞いていた僕でさえ、初めて見たときは「え？これ？」。

ちなみに、グランプラス近くのショコラティエのショーケースは必見です。そこに飾られている小便小僧の形のチョコレートは、実物より大きいから。

小便小僧にはお仲間がいる

見た人にがっかりされる割には、小便小僧は人気者。古くから「特別な日には服を着る」という習慣があるそうなのですが、そのための衣装が世界中から贈られているのです。もちろん日本からのものもあり、2016年に日本がテーマの「フラワーカーペット（p113）」が開催されたときには、羽織袴を身に着けていました。

そして、小便小僧にはお仲間がいます。グランプラスを挟んで向かい側あたりには小便少女、少し離れた路上には小便犬。この2体は新しいもので、小便少女はガンやエイズ撲滅キャンペーンの一環として作られたものだとか。衣装持ちの小便小僧と違い、小便少女と小便犬が服を着ているのは見たことがありません。

161 automne

ボンボンショコラのふたつのスタイル

「ボンボンショコラ」と呼ばれるひと口サイズのチョコレートには、ふたつのスタイルがあります。フランススタイルは、中身を作って四角く切り分けてからチョコレートで薄くコーティングしたもの。これに対してベルギースタイルは、型にチョコレートを流し入れ、中身を入れてからさらにチョコレートでふたをします。

　ベルギースタイルのいちばんの特徴が、仕上がりにツヤがあり、色や形のバリエーションが豊富なこと。周りがチョコレートでコーティングされているため、やわらかいものやお酒など液状のものを中に入れることもできます。どちらのチョコレートもおいしいので、スタイルの違いを知って、食べくらべてみてください。

梱包のしかたに出るお国柄

生活に欠かせない通販サイト「Amazon」ですが、ベルギーに進出したのはほんの数年前。それまでフランスやドイツ、オランダのサイトを使っていましたが、ついに「アマゾン・ベルギー」が誕生しました。

とはいっても、国によって品ぞろえが違ったりもするので、他国のAmazonサイトも利用しています。流通システムの関係なのか、ベルギーのサイトで注文したものがフランスから届く、なんてこともよくあります。

そして、梱包にはお国柄が出る！　フランスやベルギーからは、透明なビニール袋に入れただけの商品が届くことも。それに対してドイツから発送されたものはきっちり梱包されているので、毎回感動させられます。

幼稚園にも花は欠かせない

友人の家やカフェ、街の小さなショップなど、どこに行ってもちょっとした花が飾られています。「インテリアの仕上げ」「おもてなしのため」といった特別な理由からではなく、毎日の暮らしの中に花があるのが普通、という印象です。

幼稚園や学校でも、教室には花を欠かしません。息子が通う幼稚園には、「庭の花を教室に飾る」という活動があります。係の子は園の庭の花壇で、好きな花をチョキン。グラスに水を入れ、花をさして教室に飾ります。フレッシュな花が1本あるだけで場の雰囲気がよくなることや、一緒に過ごす人のためにひと手間かける大切さなどを自然な形で学べるのかな、という気がします。

甘い「リオレ」の正体

「リオレ」は、こちらではポピュラーなデザート。レストランのメニューにもあるし、スーパーマーケットでもカップ入りのものが売られています。

リオレの正体は、ライスプディングです。お米に砂糖を加えてミルクで炊いた、バニラ風味のお粥のようなもの。粒をほとんど感じないぐらいトロトロに煮込んだものはカスタードクリームのような食感です。

味も口当たりも悪くはない。でも僕自身が好きかどうかといえば、まあ「大好き」とは言えません。お米が主食の食事に慣れ親しんできたため、甘いお米には、どうしても違和感を覚えてしまう。ヨーロッパとの食文化の違いを感じさせられる食べものです。

165 *automne*

暮らしを心地よくしてくれる小さな気配り

公共の場所では、自分で開けるタイプのドアを通ったら振り向き、次の人のためにドアを押さえたまま待つ。おそらくこれは、世界共通のマナーです。でもレディファーストが浸透しているヨーロッパでは、先に通ったのが男性の場合、後から来るのが女性だと、少し長めに待ってでもドアを開けておくことが多いんです。

子どもやお年寄りのためにドアを開けたり先に通したりすることは、だれもが意識しています。とくに子連れの女性に対する気配りは、とても細やかです。階段でベビーカーをどうしよう……などというときも、近くの人がさっと手を貸す！　見習いたい習慣なので、困っている人には僕も積極的に声をかけるようにしています。

automne 166

車の運転もレディファースト？

市街地は路上駐車が多いため、車ですれ違うときは譲り合いが必要です。対向車に気づいたら、どちらかが止まって待つ。これが基本のはずなのですが、譲る気配さえなく進んでくる車も少なくありません。そんな車の運転者は、かなりの確率で女性です。

道を譲らないのは、運転技術の問題ではありません。おそらく、ハンドルを握っているときも、レディファーストの感覚があるから。お互いにとって効率のよい譲り合いをするのではなく、男性が譲るのが基本でしょ？というわけです。レディファーストを心がけようと頑張ってはいるけれど、運転中は、対向車の運転者の性別まではわからないこともあるんだけどな……。

167 automne

チョコレートの型ならベルギーにおまかせ

パティシエ目線から言うと、ベルギーが世界に誇れるもののひとつに「チョコレートワールド」があります。チョコレートの型を扱う専門店で、世界中からプロが買いつけにやって来ます。以前は金属製の型が使われていましたが、今はこの店で扱うようなプラスチック製のものが主流。形のバリエーションが豊富で使い勝手もよく、一度使ってしまったら金属製の型には戻れません。

「チョコレートワールド」のすごさは、圧倒的な品ぞろえ。日本とくらべると、型の種類は100倍、値段は10分の1、というイメージです。チョコレートを作っているパティシエが初めて来たら、興奮のあまり鼻血を出しそうになるでしょう。

automne 168

パンを買うようにケーキを買う文化

ケーキといえば手みやげや特別な日を祝うためのもの、というイメージをもっている人が多いと思います。でも食事を必ず甘いデザートで締めくくるヨーロッパでは、ケーキは日常的に食べるもの。パン屋さんでパンを買うのと同じ感覚で、パティスリーでケーキを買うんです。

普段、家で食べるためにはカットしたケーキを人数分買っていく人が多いのですが、人が集まるときはホールケーキが好まれます。食事の後にテーブルにケーキを出し、切り分けて食べるのがパーティのお楽しみになっているようです。いったい何人招いているのかわかりませんが、ホールケーキを３～４台買っていく人も珍しくありません。パティシエにとっては、ありがたいことです。

169 automne

牛乳は常温保存で

スーパーマーケットでは、牛乳が常温の棚に並べられています。日本では「牛乳＝要冷蔵」だったので、初めて見たときは驚きました。殺菌方法や容器のタイプが違うようで、常温で３カ月ほど保存できるものが多く売られています。1L入りのパックが６本セットになったものなどもあり、まとめ買いして開封するまではクローゼットに入れておく、なんてことも可能です。

保存法だけでなく、牛乳の味も日本とは違います。ベルギーは酪農大国。牛乳もしっかり濃くて、近所で買ったものでも「牧場で飲む牛乳」の味がする！　以前、日本を旅行してきた友人に日本の残念な点を聞いたら、「牛乳が薄いこと」と返ってきたことがあります。

のりと納豆はお好き？

最近では日本食がだいぶ身近になりましたが、僕がベルギーに来た頃は、日本では普通なのにヨーロッパではなじみのない食材もいろいろありました。当時、いやがる人が多かったのが焼きのりです。ヨーロッパで日常的に食べるものの中には、黒い食材がありません。そのため、真っ黒なのりは見た目でアウト。独特な磯の香りも好まれませんでした。今では食べる人が増えましたが、まだまだ苦手な人もいるんじゃないかな。

クセの強さナンバーワンの納豆は、好みがはっきり分かれます。抵抗なく受け入れる人もいる半面、絶対に無理！という人も。強烈な香りのチーズは喜んで食べるのに納豆はくさいだなんて、なんだか納得できません。

171 automne

付き合い残業は必要なし

終業時間は過ぎているし自分の仕事も終わったけれど、同僚が忙しそうにしているから帰りにくい……。日本で働いてきた僕には、その気持ちがよくわかります。でも、こちらの人には決して共感してもらえないでしょう。

役所に行ったとき、手続きを待つ人が大勢いるタイミングで仕事を上がる職員がいました。他の人は忙しそうなのに、彼女は明るく「お疲れさま〜」と言ってまわる。そして挨拶された側も、ごく普通に「じゃあ、また明日ね」「バイバーイ」などと送り出していました。

「みんなが忙しいときにごめんね」なんて遠慮もなければ、「なんであなただけ帰るわけ？」と責める雰囲気もない。こんな働き方、僕も見習わなければ！

automne 172

ゴミを荒らす犯人は？

夜、ブリュッセルの街を歩いていたら、少し先に動物の姿がちらりと見え、道路脇の植え込みの中に消えていきました。犬？　それとも猫？　なんだかやたらとしっぽがフサフサしていたような……。

そのまま歩いていくと、植え込みの陰から動物がヒョコッと顔を出しました。正体は、なんとキツネ！　緑が豊かな公園が近いとはいえ、まさか街の真ん中でキツネに会うとは思いませんでした。

姿を見たのは初めてですが、彼らはけっこう街をうろついているのかもしれません。夏の夜、窓を開けていると「ガー！」「グワッ！」なんて鳴き声が。その翌朝は、近所のゴミ箱が荒らされていることも多いんです。

173 automne

「ミカド」とは……？

日本でおなじみの「ポッキー」は、ベルギーでも買うことができます。ただし、名前は「ミカド（MIKADO）」。ヨーロッパではメジャーな、細い棒をたくさん使うゲーム「ミカド」から名付けられたそうですが、もちろん日本の「帝」を連想させる狙いもあるでしょう。

おそらくポッキーの人気が高いためだと思うのですが、なぜかチョコレートソースも「ミカド」と呼ばれています。カフェなどでワッフルのソースを選ぶとき、メニューに「生クリーム＆ミカド」などと書いてあったら、生クリームとチョコレートソースが添えられているということ。生クリームとポッキーがついてくるわけではありません。

お菓子作りは気軽に

お菓子作りがちょっと面倒に感じられる理由のひとつに、材料や道具がそろえにくいことがあると思います。日本では、ちょっとかわったものは製菓材料を扱う専門店などでなければ買えず、ネットで注文しても届くまでに少し時間がかかる。そのせいで「じゃあ、今日はやめておこうかな」なんて気持ちになってしまうわけです。

それにくらべてベルギーでは、スーパーマーケットの製菓コーナーが充実しています。小麦粉やバターも大容量で売っているし、バニラビーンズ、ノワゼットプードル（ヘーゼルナッツの粉末）、生イースト、なんて本格的な材料や各種の型もそろっています。作りたいときにすぐ作れる、お菓子作りに挑戦するには最高の環境です。

メレンゲとクリームのスイーツ・パブロバのパフェ

簡単パブロバ風デザート

材料と作り方

約10人分

1 ボウルに卵白2個分（80g）を入れ、ハンドミキサーで泡立てる。

2 白くふんわりしてきたらグラニュー糖80gを6回ほどに分けて加え、その都度しっかり泡立てて、ピンと角が立つメレンゲを作る。

3 **2**を大きめのボウルに移す。粉糖80gをふるい入れ、ゴムべらでボウルの底から大きく混ぜる。

4 口金をセットした絞り袋に**3**を入れ、オーブンペーパーを敷いた天板の上に好きな形に絞り出す。

5 100℃に予熱したオーブンで、中心がさっくりするまで、約2時間乾燥させる。

6 **5**と好みのフルーツ、アイスクリームを盛り合わせ、フルーツピューレ（p108）をかける。

※メレンゲの大きさによって、乾燥させる時間を調節してください。

※メレンゲは、密閉容器に入れておけば1カ月ほど保存可能。

175 automne

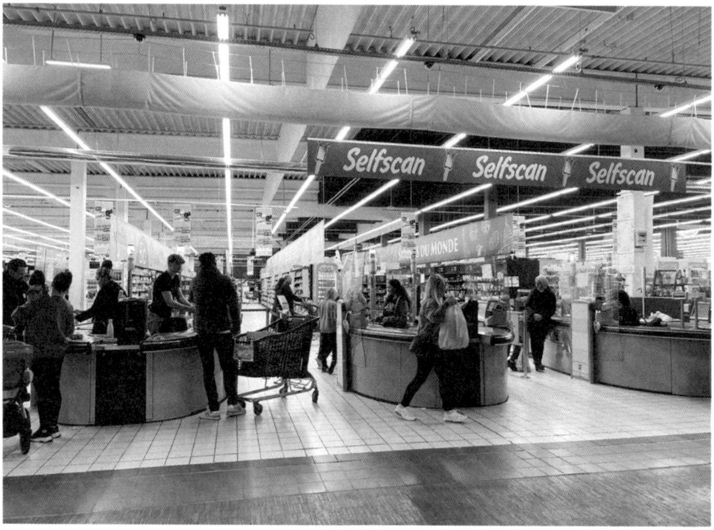

仕事は一度にひとつずつ

店で会計をしているとき、ふと目についたものが気になって、「あれは、おいくらですか?」と聞きました。レジを打っていた女性から返ってきた言葉は、「ちょっと待って。これを終わらせてからね！」。客の側が叱られるのは理不尽な気もしますが、これは僕の失敗。質問するタイミングがまずかったんです。

職場で一緒に働くスタッフを見ていても思うのですが、こちらにはダブルタスクを嫌う人が多い。あれこれ一度にこなそうとするとミスが増え、かえって効率が悪くなることもあります。仕事は一度にひとつずつ。今していることを終わらせてから次のことに取りかかる！これがベルギー流の仕事術なんだと思います。

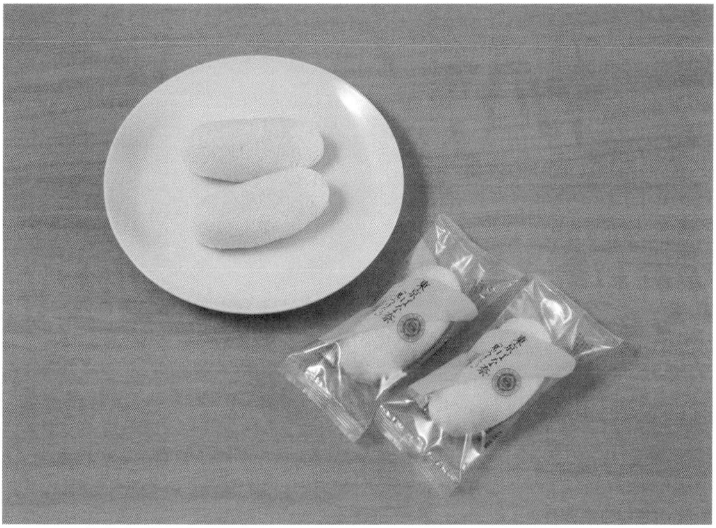

人気の日本みやげは“東京ばな奈”

ベルギーの人に喜ばれる日本のおみやげ『東京ばな奈「見ぃつけたっ」』。バナナ味のカスタードクリームをやわらかいスポンジ生地で包んだ人気のみやげです。

人気の秘密は、まず食感。こちらでは、焼き菓子といえばフィナンシェやマドレーヌなど、しっかり噛みごたえがあるものが主流です。「東京ばな奈」のふんわりした口当たりが珍しいのでしょう。また、製菓業界では「バナナ＝チープな味」と感じる人が多いとされており、バナナ味のお菓子もほぼ見かけません。

でも「東京ばな奈」が好きなのだから……と、ある年のクリスマスケーキにバナナを使ってみたことがあります。結果は？　もちろん、大人気で完売しました。

177 *automne*

シンプルでかっこいいヨーロッパのお菓子

妻に「日本とヨーロッパのケーキって、デコレーションのセンスが違うよね」と言われ、思わず深くうなずきました。日本で注目されるのは、華やかなケーキ。カラフルなフルーツをたくさん使って、ナパージュでツヤツヤに仕上げて、あめ細工を飾って……。見た目の美しさはもちろん、「手間をかけてていねいに作る」ということも付加価値になっているのかもしれません。

それに対して、こちらで好まれるのはシンプルでかっこいいものです。白いケーキなら白一色だったり、飾りはチョコレートひとつだったり。デコレーションに手をかけない分、仕事としても効率的。時間をかけずにセンスで勝負するケーキ、僕も目指していきたいです。

仕事が定時で終わる理由

終業時刻になったら、サッと帰るのは常識。残業のない働き方が可能なのは、仕事のしかたが効率重視であることとも関係していると思います。

日本では、「早くやるよりちゃんとやる」ことは一種の美徳。でもヨーロッパでは、仕事に求められるのは効率です。必要ではない作業に時間をかけていると、「仕事が遅い人」判定をされてしまいます。

能力や経験とは関係なく、だれもが自分のやるべき仕事に集中し、効率よく仕上げることにプライドをもっている感じ。残念ながら、「見えない仕事もていねいにすれば、だれかが見ていて認めてくれる」という日本的な考え方は通用しないような気がします。

179 *automne*

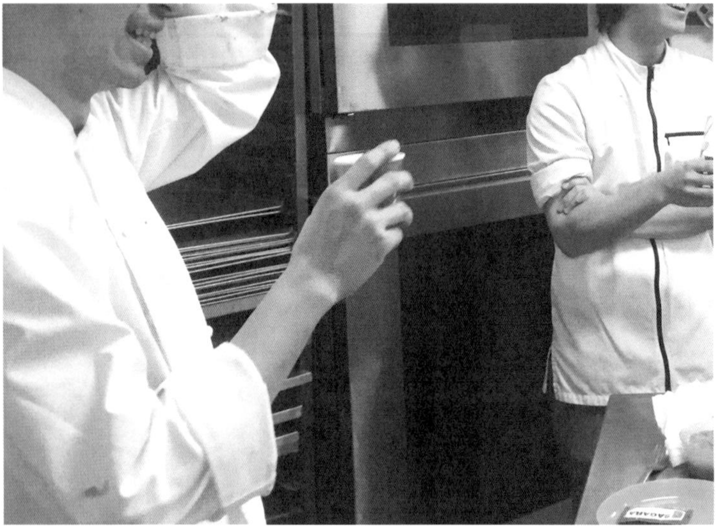

きみ、態度が大きくない？

フランス語にも敬語表現はあるのですが、使うのはあらたまった接客の場面など。職場の先輩・後輩のような関係であれば、話し方も態度もカジュアルです。

あるとき、一緒に働いている若手スタッフに作業のしかたを説明しました。僕が大切なことを話しているのに、聞いている側ときたら作業台に肘をつき、片方の足を上げてブラブラ。あいづちも「ふ〜ん」なんて感じです。一瞬、日本的な感覚がよみがえってカチンときましたが、ここはベルギー。話の内容を理解していさえすれば態度なんて関係ないんだ！と自分に言い聞かせ、のど元まで出てきた「ちょっと、その態度はないじゃない？」という言葉をのみ込みました。

その国の食材はその国の調理法で

引っ越してきたばかりの頃、自宅での食事は和食が中心でした。理由は、作りなれていたから。でもそれをしばらく続けた後、妻と意見が一致したんです。あまりおいしくないよね……？　日本とは食材の質が違うせいで、自分たちが食べたい味にならないのです。

ベルギーの食材を使うなら、ベルギー式に料理したほうがおいしい。そのことに気づいてから、バターや生クリームを使う洋風の料理が増えました。

でも、こってり味が続くとおなかが疲れます。そんなときに和食を食べると、「しょうゆ最高！」と叫びたくなる……。というわけで、現在のわが家の食事はシンプルなグリルなど和食と洋食の中間あたりに落ち着いています。

181 automne

冷めたフリッツなんて食べられない！

フリッツ（フライドポテト）は、ベルギーの国民食と言ってもいいと思います。大人も子どもも、みんな大好き。いつの間にか、わが家でも食卓に上る回数が増えました。家庭でフリッツを作る場合は、冷凍食品を買ってきて揚げるだけ。スーパーマーケットには、大きめのものや細いスティック状のもの、マッシュして丸めたものなどいろいろなタイプがずらりと並んでいます。

カジュアルなホームパーティに呼ばれたときは、冷凍ポテトをひと袋もっていくのがお約束です。友人の家で食事をしたときに驚いたのが、冷めたフリッツは「おいしくないから」と下げてしまうこと。フリッツへの深〜い愛とこだわりを感じさせられました。

ロータリーは反時計回りで

日本の道にはあちこちに信号がありますが、ブリュッセルではあまり見かけません。十字路ではなく、ロータリーになっていることが多いからです。

ベルギーの場合、ロータリーは反時計回り。車の切れめを見つけて入って道に沿って回り、自分が曲がりたいところで外に出ます。日本の場合の「右折」のように反対車線をまたいで曲がる必要がないので、慣れればとてもスムーズです。

特別な信号などがない場合、ロータリーに入ろうとする車より、中を回っている車が優先。いったん中に入ったら、一定の速度を保ちます。「前に入っていいですよ」なんてスピードを緩めたりするのは、かえって危険です。

幼稚園で覚えるおつまみの味

　アペロの習慣があるベルギーでは、おつまみに欠かせないオリーブは「家にあるのがあたりまえ」の食材。マルシェにもオリーブの専門店が出るし、水煮、オイル漬け、ガーリック入り、パプリカなどの野菜入り、とバリエーションも豊富です。おつまみのほか、サラダに入れたりピザにトッピングしたりすることもあります。
「大人の食べもの」というイメージがあったのですが、息子や息子の友人もオリーブが好き。給食でオリーブやサラミなどが出されるため、幼稚園児という若さでおつまみ系食材のおいしさに目覚めるようなのです。これってきっと、日本の子どもがウニやイクラを喜んで食べるのと同じですよね。

ヨーロッパの庭は建物の裏に

ブリュッセルの市街地は、道路側からは建物がびっしり並んでいるように見えます。でも、実は庭つきの集合住宅もたくさんあるんです。

日本では道路に面して庭があり、その奥に家があるのが一般的です。でもこちらでは、道路に面して建物があります。集合住宅の場合、建物でロの字型やコの字型に囲まれたスペースが庭になっているんです。

もちろん住宅街には庭付きの一戸建てもありますが、その場合も庭は道路側ではなく、家の裏にあるスタイルがほとんどです。また、日本では敷地をブロック塀などで区切りますが、隣の家との間は生垣で仕切られていることが多いような気がします。

185 automne

言われてうれしい「私の小さな心臓」!

「モン・シェリ（mon chéri）」「モン・シャ（mon chat）」「モン・プティ・クール（mon petit coeur）」。息子を連れていると、よくこんな風に呼びかけられます。
「モン・シェリ」は「私の愛しい人」。子どもだけでなく、恋人や夫にも使います。「モン・シャ」は「子猫ちゃん」、「モン・プティ・クール」は「私の小さな心臓」！　猫やら心臓やら、直訳してしまうと微妙なのですが、どれも愛情を込めて使われる呼びかけの言葉です。

挨拶のようなほんのひと言ですが、かわいい愛称を使うことで呼びかける相手への好意は間違いなく伝わります。通りすがりの人が息子ににっこり声をかけてくれるのは、なんだかうれしいものです。

automne 186

チーズケーキはお好き？

パティシエとしては残念なのですが、こちらではチーズケーキがあまり好まれません。フランス人の知り合いがアメリカに行ったとき、お茶をしようと入った「チーズケーキファクトリー」で、「チーズケーキ以外のケーキはないんですか？」と聞いたとか。店のスタッフは、「は？　店の名前見た？」とツッコミたくなったでしょうが、それほどチーズケーキが苦手、ということです。

チーズが甘いのが口に合わないようなのですが、フロマージュブランというチーズには砂糖をかけて食べたりしている……。フロマージュブランはヨーグルト感覚なの？とも思うけれど、甘さと組み合わせるのがアリかどうかの線引きが、僕にはよくわかりません。

187 automne

「普通の日」に花をプレゼント

街を歩いていると、花束をもった男性をよく見かけます。花束といっても、特別な日にあらたまって贈るような豪華なものではありません。季節の花をバサッとまとめた、明らかに自宅に飾るためのものです。

ヨーロッパの人にとって、花を買うのは卵やトマトを買うのと同じなのかもしれません。あってあたりまえのものだから、よさそうなものがあれば買って帰る。でも、家族や恋人を喜ばせようという気持ちもあるから、相手の好みに合うものを選んだりもしているはずです。

息子と同じ幼稚園に通う男の子は、道端の花をつんで一緒に遊ぶ女の子にプレゼントするのだとか。父親が母親に花を贈る姿を、普段から見ているんだろうな……。

英語の習得は YouTube で

同じ国内で使われていても、フランス語とフラマン語はスペルも発音も違います。とくにフラマン語は、発音が難しい。フランス語圏の地域で暮らしていると使う機会がないため、僕の場合、フラマン語だということはわかっても、話すことはできません。

公用語ではないけれど、英語はほとんどの人が話せます。英語が上手なフランス人の友人にどこで覚えたのか聞いてみたところ、「YouTube で」。そういえば、1 週間ほどスペインに旅行しただけで、かたことのスペイン語が話せるようになった人もいました。言葉のベースが似ているので覚えやすいのかもしれませんが……。日本語ネイティブの僕には、とても信じられません。

ベルギーのビーチはオトナ仕様

あまり「海」のイメージがないベルギーですが、北西部は海に面しています。でも、海水浴が楽しめるのは真夏の1週間～10日間ぐらい。そのため、いわゆるビーチリゾートのようなにぎやかさはありません。

街全体が落ち着いた雰囲気で、海辺にはおしゃれなホテルもあります。夏のバカンスではなく、あえて海水浴シーズンを外して訪れるのがおすすめです。

海岸沿いはきれいに整備されているので、海を眺めながら散歩するのは快適。港町ならではの雰囲気も味わえるので、リフレッシュするための小旅行にぴったりです。日本の街にたとえるなら、海を眺め、街歩きを楽しむ横浜のような感じ、というところでしょうか。

手頃でおいしいワインはスーパーで

食事中の飲み物は、ワインが基本。自宅にちょっとしたワインセラーのようなスペースをもっている人も珍しくありません。気軽なホームパーティでも、スパークリングワインで乾杯した後、料理に合わせて白ワイン→赤ワインと進み、チーズと一緒にちょっといいワインが出てくる、なんてこともあります。

ただし日常的に飲むものなので、特別なとき以外はお手頃なものを楽しんでいる人がほとんどです。スーパーマーケットには、必ずそれなりの広さのワイン売り場があります。税金などの関係で日本より値段は安く、日本円のイメージで1000円台で、ワイン好きの人も認めるおいしいワインが手に入ります。

191 *hiver*

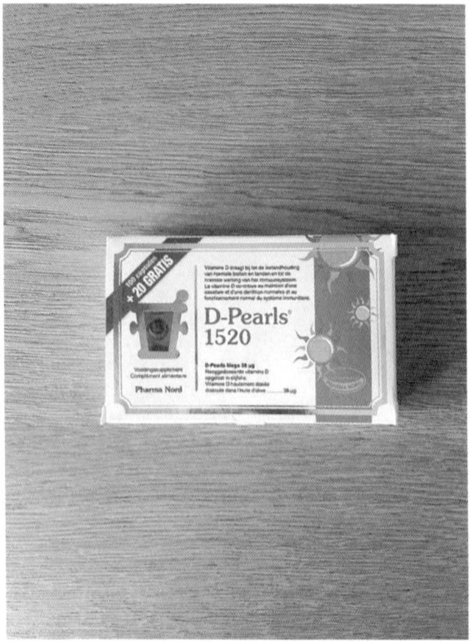

太陽ってありがたい！

ベルギーに住んでみて実感したのが、太陽のありがたさです。こちらの夏は短くて涼しい。おまけに短い夏の間も、雨や曇りのどんよりした日が多いんです。「天気が悪い」「暗い」って、それだけで気分が沈む原因になるんだな、と初めて知りました。もともと夏がそれほど好きじゃない僕でさえ、晴れた夏の日は「太陽っていいな〜！」と気分がアガるようになりました。

実際、冬にはうつっぽくなる人も多いそうで、ドラッグストアにはメンタルケアに役立つビタミンDのサプリも並んでいます。このサプリのパッケージに描かれているのが、太陽のマーク。「太陽の光のかわりに、このサプリをどうぞ！」というメッセージなんでしょう。

ホットドリンクの自販機が恋しい

日本では街のあちこちに飲み物の自動販売機がありますが、ベルギーではそれほど見かけません。確実にあるのは、駅や空港ぐらいです。

正面がガラスの冷蔵ケースのような見た目で、中の商品が丸見え。お金を入れて商品のボタンを押すと、ガッタン！と取り出し口に落ちてきます。日本のものとくらべると、かなりアナログです。売られている商品の種類も多くないし、「ホット」は見たことがありません。

帰省した際、日本の空港で飲み物を買おうとして感動しました。お茶だけでも何種類もあるし、温かいものだってコーヒーからコーンスープまでそろってる！　思わずスマホを取り出し、激写してしまいました。

193 *hiver*

お子様にはお帽子を

「健康維持のためには頭寒足熱」という考え方は、こちらでは通用しません。とくに子どもの場合、「冷たい空気に耳をさらすと中耳炎になりやすい」などと言われ、寒い季節に帽子なしで外出する子はまずいません。

もちろん保温アイテムとして役立つ面もありますが、それ以上に気になるのが周囲の反応です。子どもが帽子をかぶっていないと、「どうしちゃったの？」なんて声をかけられ、「かわいそうに」と言いたげな目で見られ……。

とにかく、「お子様にはお帽子」が鉄則。小学生ぐらいまでの子は、屋外では必ず帽子やパーカーのフードをかぶっています。その後、髪型を気にするおしゃれさんなどから帽子を卒業していくようです。

hiver 194

ビールの品ぞろえ世界一のカフェ

ビール好きなら行ってみる価値があるのが、ブリュッセルにある「デリリウムカフェ」。カフェと名乗っていますが、「ビールバー」のような店です。

ベルギービールはもちろん、世界中のビールが飲めることで有名です。「販売しているビールの銘柄が世界一多い店」として、ギネスブックに載ったこともあります。ビールの樽やアンティークの看板などが飾られた店内のインテリアも、なかなか味があります。

注文するカウンターには、生ビールのサーバーといろいろな形のグラスがずらり。何を選ぶか迷ったときは、スタッフが相談にのってくれます。味の好みを伝えると、試飲をさせてくれることもあるとかないとか……。

195 hiver

聖ニコラからのうれしいプレゼント

12月6日は「聖ニコラの日」。子どもの守護聖人である聖ニコラウスをたたえるお祭りです。

この日のお楽しみは、いい子はプレゼントがもらえること。もちろん、悪い子はもらえないことになっています。ちなみに、聖ニコラの日のプレゼントは、クリスマスプレゼントとは別のもの。つまりベルギーの子どもは、12月に2回もプレゼントをもらえるわけです。

聖ニコラの日には「スペキュロス」というお菓子が欠かせないため、パティシエは大忙しです。でも僕が働く店では、聖ニコラの日、作業台の上に封筒が置かれています。中身は商品券など、オーナーからの小さなギフト。おかげで、大人もうれしい祝日になっています。

聖ニコラの日には伝統的なスペキュロスを

スペキュロスは、ベルギーの伝統的なスイーツ。シナモンなどのスパイスがたっぷり入ったクッキーです。「聖ニコラの日」には聖ニコラウスをかたどったスペキュロスを食べる習慣があるため、パティスリーには大きなものや珍しいデザインのものが並びます。

スペキュロスには、木彫りの型が使われます。職人が作った手彫りのものはとても貴重で、専門店や蚤の市でしか手に入れることができません。模様をしっかり出すために、生地をぎゅっと詰め、型からはみ出した生地をピアノ線でこそげ取る！　とても手間のかかる作業ですが、よい型を使ったものは仕上がりもきれいです。パティシエにとっては、12月恒例の楽しい重労働です。

木型がなければ型抜きクッキーに！

アンティークの型で作るスペキュロス

材料と作り方

直径 5cm の抜き型で 40 個分

1 無塩バター、有塩バター各 60g はサイコロ状にカットし、冷蔵庫で冷やしておく。

2 中力粉 185g、粉糖 70g、スペキュロススパイスまたはシナモン 10g をフードプロセッサーに入れて混ぜ合わせる。

3 **1** を加え、バターが細かくなって全体がパラパラになるまでさらに混ぜる。

4 卵黄 1 個分を加え、さらに混ぜる。この時点では生地にムラがあってもよい。

5 まな板に **4** を取り出し、手でこねてひとまとめにする。

6 **5** をラップで包んでめん棒で均一な厚さにのばし、冷蔵庫で 30 分以上寝かせる。

7 スペキュロスの木型に打ち粉として強力粉を適度にふり、**6** を手ですき間なく押しつける。

8 はみ出した生地をナイフですり切るように取り除く。型をひっくり返し、つまようじなどで生地をそっとはがして取り出す（型がない場合は **7** ～ **8** の工程のかわりに、生地を 5㎜厚さにのばして型抜きする）。

9 **8** を冷凍庫で 15 分ほど冷やし、表面の粉をハケで払う。

10 オーブンペーパーを敷いた天板に **9** を並べ、140℃に予熱したオーブンで 40 分焼く。

197 *hiver*

父親の子育て参加はあたりまえ

　息子が通う幼稚園で、保護者のティーパーティがありました。ちょうど仕事が休みの日。妻にも参加を勧められたのですが、パスしてしまいました。平日の昼間の集まりに顔を出したら、「あのお父さん、お仕事してるの？」なんて思われないか？と心配だったからです。

　でも、帰宅した妻に聞くと夫婦で参加している人も多かったそうです。たしかに、こちらでは父親の子育て参加があたりまえ。園や学校への送迎役は父親のほうが多いし、男性が仕事を中抜けして子どものお迎えに行ったりするのもごく普通のことです。僕の不安は、単なる取り越し苦労でした。次の機会には、堂々とパーティに参加しようと思います。

hiver 198

クリスマスマーケットに行こう

クリスマスシーズンの楽しみのひとつが、クリスマスマーケットです。広場に木製の屋台がずらりと並び、街が一気ににぎやかに。「クリスマスが来る！」と、気分も高揚してきます。

屋台に置かれているのは、クリスマスの飾りやちょっとした小物、アクセサリーなど、マーケットを見てまわる人のために、温かい飲み物やお酒、ソーセージなどを売るところもあります。

クリスマスマーケットは、場所によって雰囲気が違います。僕が毎年のように足を運ぶのは、ドイツのアーヘン。ハンドメイドの素敵なアイテムがたくさんあって、つい財布のひもが緩んでしまいます。

199 *hiver*

真冬でも便座はひんやりが心地よい

ベルギーの冬は寒さが厳しいけれど､室内は快適です。暖房設備として一般的なのは、「ソファージュ」と呼ばれるもの。建物内にあるボイラーからポンプで温水が送られ、各部屋に備えつけられたパネルヒーターで部屋を暖めます。部屋ごとに温度調整することもできるし、風が出ないので室内が乾燥しすぎることもありません。

何よりもいいのは、家全体が暖まることです。窓ガラスを三重にするなど密閉性を高める工夫がされているし、隣の建物とぴったりくっついているレンガや石の壁は保温性も高い。日本で人気の暖房便座をベルギーで見かけないのは、たぶんトイレの中も暖かいから。冬でも便座はひんやりしていたほうが､使い心地がいいんです。

部屋に入りきらないものは地下倉庫へ

日本で家探しをするときは、収納スペースの有無が条件のひとつになります。でもベルギーの場合、集合住宅の部屋は、基本的に「箱」。キッチンのシンク回りなどを除き、室内にはあまり収納がありません。暮らし方に合わせて収納家具を買ったり、空きスペースにものを押し込んだり、という工夫が必要です。

そのかわり、地下には居住者ごとに割り当てられた駐車場兼倉庫のようなスペースがあります。各スペースには鍵がなければ開けられないシャッターがついているのでプライバシーも確保されるし、セキュリティ面でも比較的安心。頻繁に使わないものや大きなものをしまっておくほか、ワインセラーとして利用している人もいます。

201 *hiver*

太すぎる長ねぎの正体は

ポロねぎは、長ねぎを太くしたような野菜。僕は初めて買ったとき、長ねぎだと思い込んでいました。

太いだけでなく中身がぎっしり詰まっているので、切るときはかなり手ごたえがあります。生で食べたときの味は、長ねぎとほぼ同じなのですが……。ポロねぎは、加熱によって実力を発揮するのです。

いちばんのおすすめは、ぶつ切りにしてバターとにんにくで蒸し焼きにすること。甘くてトロトロした味わいは、最高です。食べごたえがあるので、仕上げにチーズでもかければメインディッシュにもなります。長ねぎには申しわけないけれど、ポロねぎを知ってしまった今では、長ねぎが恋しくなることはありません。

マルシェに行くならかごバッグが便利

マルシェでは、フルーツとお花が入った年代物のかごバッグを抱えて歩くかわいいおばあちゃん……なんて絵になる光景をよく目にします。「おしゃれ用」のイメージがあるかごバッグですが、実は暮らしに根付いた実用品でもあります。

マルシェにはスーパーマーケットのような買い物かごがなく、会計も店ごと。袋形のエコバッグなどに入れてしまうと、「何をいくつ買ったっけ？」なんて中をゴソゴソ探ることになります。でも中身がひと目でわかるかごバッグなら、確認や会計もスムーズ。さらにバッグの中でものがぶつかりにくいので、やわらかいフルーツや野菜もつぶさずにもち帰ることができるんです。

子どもに人気のハムソーセージサンド

お肉屋さんには、ハムやソーセージ、パテなども充実しています。加工肉類はとにかく種類が多く、日本ではなじみのないものも。大きな容器に詰められているパテやテリーヌも、ほしい分だけカットしてもらえます。

手軽に使えるハム類は、ランチの材料としても活躍します。子どもが喜ぶのが、ハムソーセージ「ソシス・ドゥ・ジャンボン」（saucisse de jambon）のサンドイッチです。使うパンは、ベルギーの伝統的な「ピストレ」。直径10cmほどの丸い形で、表面はバゲットのようにパリッと香ばしく、中身はふんわりしています。ピストレを半分に切り、間にハムソーセージをはさめば完成。作り方はシンプルですが、子どもたちには大人気です。

hiver 204

ビール瓶はスーパーマーケットへ

空き瓶は街のあちこちにある回収ボックスで処分しますが、ビール瓶はスーパーマーケットで回収し、リサイクルされています。回収マシンの投入口から空き瓶を入れると、ベルトコンベアのように中に吸い込まれていきます。このとき瓶の形がチェックされるようで、規格外の瓶は戻ってきてしまいます。瓶をすべて入れ終わったら、ボタンをポチッ。すると、ガチャガチャと音がしてクーポンが発券されるんです。

金額は1本あたり10セント。回収マシンを使ったスーパーマーケットで使うことができます。戻ってくるのはもともとビール代に上乗せされていた保証金なのですが、それでも少し得をした気分になります。

205 *hiver*

ひと休みするならカジュアルなカフェへ

日本の友人に、「ル・パン・コティディアンって知ってる？」と聞かれました。もちろん知っています。だって、ベルギー発のカフェだから。

友人の話を聞くと、日本の店はとてもおしゃれなカフェ、という位置づけのよう。でもベルギーでは、あちこちで見かけるカジュアルなチェーン店です。

パン屋さんにカフェスペースが併設されていて、ひと休みしたいときにちょっと立ち寄れる雰囲気。店内は比較的ゆったりしているところが多く、ファストフードとおしゃれなカフェの中間、といった感じです。コーヒーを頼むと小さなチョコレートなどがついてくるので、コーヒー１杯でちょっとしたおやつタイムを楽しめます。

日本とはちょっと違う親子の距離感

ベルギーでは、12歳以下の子どもが外出する場合は保護者の付き添いが必要です。子どもだけで留守番させるのも禁止。違反を目撃したら警察に通報する義務がある、という厳しいルールも定められています。

親と一緒に行動する機会が多いことと関係がある……のかどうかはわかりませんが、親子の接し方は日本とかなり違います。思春期になっても、親と手をつないだり腕を組んだりするのは普通です。以前、知り合いと歩いていたとき、偶然その人の息子が通りかかりました。中学生の息子は、「ママ」と声をかけてきてしっかりハグ。それがまた、とても自然でかっこいい！　日本で生まれ育った僕には、まねしたくてもできない技です。

207 *hiver*

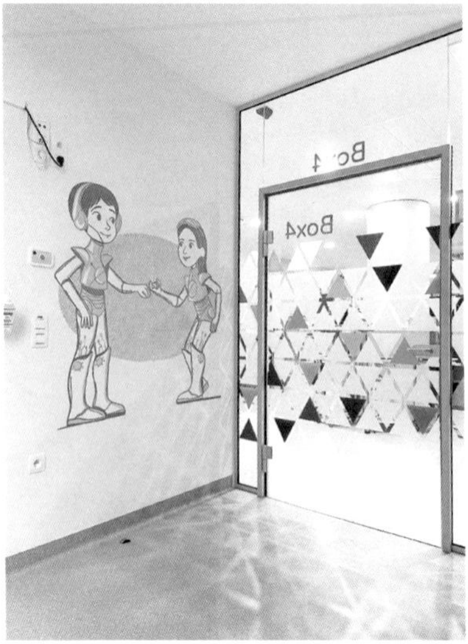

病院で「心の音」を聴く

日本語や日本文化に興味をもつ人が増えたのは、アニメの影響が大きいような気がします。ちょっとした単語を知っていて、日本人に会うと言ってみたくなるみたい。「こんにちは」「ありがとう」はもちろん、「トイレ行ってくる」なんて話しかけてきた人もいました。

息子を病院に連れていったとき、医師が聴診器をもって「KOKOROを聴くよ」。一瞬、は？　何それ？と混乱しましたが、医師の得意気な顔を見てひらめきました。KOKORO＝心。さらに心と心臓をごっちゃにしているのでしょう。少し違うぞ、と思いながらも「なぜKOKOROなんて知ってるの？」と聞いてみました。医師からはもちろん「アニメで見た」という答えが返ってきました。

hiver 208

頼りになる24時間営業の薬局

ホームドクター経由でないと病院に行けないせいか、日本にくらべて薬局が大きな役割を果たしています。ホームドクターを受診しても、軽い風邪などの場合は薬が処方されず、「薬局で解熱剤を買ってね」なんて市販薬を勧められることも。薬局に勤務する薬剤師さんは知識も豊富なので、ホームドクターと同じような感覚で薬局に頼る人も多いようです。

さらに地域ごとに必ず、当番制で24時間営業している薬局があります。深夜でも薬剤師さんが対応してくれるので、急な不調のときも安心。遅い時間に救急病院に行ったときも、病院帰りに薬局に寄ったら、夜中なのに処方薬を出してもらうことができました。

お風呂にバスタブ……はあたりまえじゃない

日本では、お風呂といえばバスタブがついているのがあたりまえ。居住スペースが狭くても、バスタブのあるユニットバスが設置されていることが多いと思います。

ベルギーで家探しをしたときに知ったのが、日本とヨーロッパの「お風呂観」の違いです。お風呂にはバスタブがあるもの、というそれまでの常識を完全にひっくり返されました。多くの家は、シャワー室のみ。バスタブがある場合も、シャワー室とは別の部屋に置かれていたりして、使いにくいのでは？と思わされました。

ちなみに、冬にシャワーだけで大丈夫？と思ったのは取り越し苦労。セントラルヒーティングで家中が暖かいため、湯冷めして風邪をひく心配はないんです。

冬を明るくしてくれるクリスマス

ベルギーの冬は、暗くて長い。いちばん日が短い時期は、朝9時頃にやっと明るくなりはじめ、夕方4時頃にはもう暗くなってしまいます。おまけにカラッと晴れる日は少なく、冷たい雨が降るどんよりした日ばかり。憂鬱な冬を乗りきれるのは、一年で最大のイベント・クリスマスがあるからかもしれません。

ベルギーでは12月6日の「聖ニコラの日」も祝うためか、12月に入ると街はクリスマスムードに包まれます。あらゆるところにツリーやキャンドルが飾られ、店から聞こえてくるのはクリスマスソング。街を歩いているだけで、自然にウキウキしてきます。お祝い気分はクリスマスを過ぎても消えず、1月半ばまで続きます。

211 hiver

クリスマスツリーは本物に限る

クリスマス前に欠かせないのが、クリスマスツリーの準備。こちらでは、一般家庭でも本物のモミの木を飾ることがほとんどです。

11月下旬になると、ホームセンターやスーパーマーケットの駐車場に「クリスマスツリー売り場」が登場します。並べられたモミの木を1本ずつ見てまわり、好みのものを選ぶと、専用の機械を使ってネットで梱包。車のトランクに入るコンパクトサイズにしてもらえます。

本物のツリーがあると、部屋がパッと明るくなります。緑の葉とさわやかな香りを楽しめるのは1カ月ほどですが、枯れてきたら決められた日に家の外に出しておくだけ。市の専門業者が、無料で回収してくれます。

悲しかったクリスマス

日本では、12月23～25日はケーキ店のかき入れどき。毎年、大忙しでした。でもベルギーに来てみたら、12月25日は休日。店も休みと言われたんです。

クリスマスが休みだなんて、この仕事に就いてから初めてのこと。僕と妻は、ウキウキしながら外出したのですが……。店はどこも開いていないし、人のいない街もさびしいし、寒くておなかが痛くなるし、という最悪のクリスマスを過ごすことになってしまいました。

ベルギーに来たばかりの日本人スタッフが、「25日が休みなので、24日の夜から小旅行に行く！」と張り切っていました。そして26日、出勤してきた彼の表情はどんより。たぶん彼も、僕と同じ経験をしたんでしょう。

213 *hiver*

クリスマスは家族で祝う

日本でもクリスマスは盛り上がりますが、その後にお正月が控えています。お年玉におせちに初詣……と盛りだくさんで仕事や学校も休みになるため、冬のイベントとしては、クリスマスよりお正月のほうが「格上」のようなイメージです。でもヨーロッパではクリスマスをしっかり祝い、お正月はスルーされます。

クリスマスが近づくと、街全体が華やぎます。家のドアにはリースがかけられ、道を通る人からもよく見える窓際にはデコレーションしたツリー、その根元には、きれいにラッピングしたプレゼントが積み上げられて……。クリスマスは離れて暮らす家族が集まる日でもあります。当日は、家族でゆったり過ごすのが一般的です。

フォアグラはクリスマスディナーの定番

毎年、クリスマスシーズンの到来を知らせてくれるのは、まず街で見かけるクリスマスツリー。もうひとつが、スーパーマーケットに現れるフォアグラです。

高級食材であるフォアグラは、普段はレストランで食べるもの。でも、クリスマスのごちそうにはフォアグラのテリーヌが欠かせません。

クリスマス前のスーパーマーケットには、いつもはまったく見かけないフォアグラのテリーヌが並びます。日本のものにたとえるなら、年末だけ売り場の主役になる数の子や伊達巻のような存在です。山積みにされたフォアグラを見ると、条件反射のように「クリスマスが来るな！」とワクワクしてきます。

215 *hiver*

ブリュッセルの消えるバス

　ブリュッセルは、公共交通機関が発達しています。メトロやトラムは時間に正確ですが、バスはやや頼りないかもしれません。たとえば、僕がたまに使うバス停には時刻表がありません（少なくとも、目立つところには）。そのかわり、「到着まであと○分」と運行状況をリアルタイムで表示するモニターがあります。

　あるときバス停についたら、乗りたいバスが到着するまで「25分」の表示。少し迷いましたが、待つことにしました。近くで買い物をすませて戻ってくると、あと15分。10分、5分……そして、表示が消えた！　しばらくして出てきた表示は、「あと20分」。僕が乗りたかったバスは、どこへ消えたんでしょう。

おみやげはギャルリー・サンチュベールで

ベルギーへの観光客は、他の国へ移動する途中でベルギーにもちょっと立ち寄る、なんて人が多い印象。あちこち動き回る時間がとれないため、ブリュッセルの中心部でおみやげ選びをする人も多いでしょう。

おすすめは、グランプラス近くにある「ギャルリー・サンチュベール」。ヨーロッパ最古のアーケード街で、内部の装飾や両側に並ぶ店のウインドウは見る価値があります。有名なショコラティエもひと通りそろっているし、おみやげ向きのちょっとしたお菓子や雑貨などを扱うショップもあります。また、「世界一美しい本屋」と言われている「トロピズム」は、店内の壁が鏡張りでキラキラ＆ピカピカ。ぜひ立ち寄ってみてほしいスポットです。

買い物のシメはおしゃべりで

ベルギーの人は、おしゃべりが大好き。会計をしながらスタッフと世間話をする人が珍しくありません。支払いをすませたらすぐに帰るのが普通だと思っていた僕にとっては、かなりのカルチャーショックでした。

自分の後に行列ができていても、「あら、その服いいわね〜」なんておしゃべりを始めます。盛り上がってくるとスタッフも手を止めて話し込んだり、ゲラゲラ笑ったり。「その話、今じゃなきゃダメ？」とツッコミたくなったことは、10回や20回ではありません。

気がすむまでしゃべった後は、「じゃあね」とさわやかに去っていく。後ろで待つ人に「ごめんね」と声をかける人は、今のところ見たことがありません。

hiver 218

世間話をしなかった僕って……？

　メガネ店に修理を頼みに行ったときのことです。店内には、順番待ちをする人がたくさん。あれこれ質問したり世間話をしたりするお客のペースに合わせて接客しているためでしょう。でも、その日の僕はついていました。メガネを買ったときのことを覚えていた担当者が、すぐに声をかけてくれたんです。用件を話すとその場でメガネを受け取り、「終わったらメールするよ」。待たされずにすんでラッキー！　僕はさっさと店を出ました。

　が、後からふと思ったんです。もしかしたら、担当者と少しおしゃべりをするべきだった？　親切にしてもらったのに「ありがとう」だけ言ってさっさと帰った僕は、「冷たいヤツ」と思われてしまったんじゃ……？

219 *hiver*

たまには食べたい原宿スタイルのクレープ

ブリュッセルには、クレープの屋台もあります。でも、原宿で売っているようなものをイメージすると、「これじゃない！」と思ってしまうかもしれません。屋台のクレープは、とてもシンプル。焼き上げたクレープの上にバーッと砂糖をふり、レモンを搾っただけのものです。

屋台だけでなく、レストランのデザートメニューにもクレープがあります。店で出される場合は、きれいにたたんで盛りつけたクレープにチョコレートなどのソースをかけたりアイスクリームを添えたりしてあります。

どちらのタイプも、とてもおいしい。でも、生クリームやカラフルなフルーツを包んだ原宿スタイルのクレープがなつかしくなることもあります。

納豆や豆腐はBIOショップで

和食はヘルシーなイメージがあるせいか、自然食品を扱うBIOショップには必ずといっていいほど豆腐や納豆がおかれています。豆腐は加熱して食べるのが前提で、かなり日もちします。絹ごし豆腐のようになめらかですが、水分量が少なくてややかためです。

納豆は、箱を開けると透明のパックに入っています。粘りもあるし、味も納豆そのもの。ただし、練りからしやタレはついていません。パッケージの写真のように、サラダにトッピングするなどして食べているのかな？

ちなみに、しょうゆは買えるけれど、練りからしは手に入りません。和風に納豆を食べたいときは、ディジョンマスタードで代用しています。

宅配便&引っ越しの仕事は改善の余地あり

ヨーロッパの人は、仕事の効率を重視します。でも不得意な分野もあるようで、素人である僕が見ても改善の余地……というか、伸びしろが多い仕事もあります。

ひとつめが、宅配便。道路に止めたトラックを見ていると、たくさんの荷物をいったん下ろして目的の荷物を見つけ、下ろしたものをまた適当に積み込んでいます。配達ルートを確認して、スムーズに下ろせるように荷物を積めばいいじゃん！と言いたくなります。

ふたつめが、引っ越し業者さん。引っ越しの現場を見ていると、人の配置も分業のしかたも今ひとつ。スタッフの動きものんびりしていて、日本だったら半日で終わりそうな作業を２～３日かけてやっています。

路上駐車のルールいろいろ

ブリュッセルの市街地は、道が狭い！　正確には、道幅はそれなりにあるけれど、路上駐車が多いのです。

路上駐車 OK の場所には標識があり、近くにパーキングメーターが設置されています。利用者はチケットを買い、ダッシュボードなど外から見えるところにチケットを置いておきます。また、「ブルーゾーン」と呼ばれるエリアでは､駐車した時刻を示すパーキングディスク（ブルーディスク）があれば決められた時間内は無料。パーキングディスクは車用品店などで買うことができます。

郊外には自由に駐車できるところもありますが、住宅の車庫や集合住宅の駐車場への入口の前は避けるのが決まり。このルールは、きちんと守られています。

223 *hiver*

生クリームはさっぱりからこってりまで

酪農大国だから……かどうかわかりませんが、ベルギーでは牛乳やクリームの種類が豊富です。まず、牛乳は3タイプに分類されます。スーパーマーケットでは軽いボトル入りのものが多く売られているのですが、赤いキャップが全乳、緑のキャップが低脂肪乳、青いキャップが無脂肪乳。メーカーによってボトルのデザインが違っても、キャップの色は統一されているようです。

生クリームも、日本でよく見かけるのは、乳脂肪分35%と45%前後の2種類ほどです。でもこちらの店には、7%、12%、30%、40%……とさまざまなものがずらり。薄くさらっとしたタイプまでそろっているのは、生クリームを料理に使う人が多いからだと思います。

hiver 224

ほろ苦いシコンはオトナの味

シコンは、ベルギーに引っ越してからよく食べるようになった野菜です。日本では、「チコリ」「アンディーブ」など呼び名もあいまい。それほどメジャーではないため、サラダに入っているものを少し食べたことがある程度でした。だから、初めて「シコングラタン」を食べたときは感動しました。

蒸し煮にしたシコンにハムを巻き、ホワイトソースをかけて焼いたものがシコングラタンです。芯の部分には苦みがあるのですが、加熱したシコンの甘みとほろ苦さのバランスがたまらない！　芯をくりぬいて使う人もいるようですが、僕は芯ごと食べたい派。苦みがあってこその、オトナのおいしさだと思うのです。

ベルギーで愛される冬の定番

オトナの味のシコングラタン

材料と作り方

4人分

1 シコン（チコリ）500～700 gは大きめなら半分に切り、苦味が苦手なら芯を取り除く。

2 にんにく2片は粗みじん切りにし、無塩バター30gは0.5㎝角に切る。

3 フライパンに**1**を敷き詰めて**2**をちらし、ふたをして弱火～中火にかける。シコンの芯につまようじがスッと入るようになるまで、20～30分蒸し焼きにする。

4 小鍋に無塩バター30gを入れ、弱火～中火で溶かす。薄力粉大さじ3を加え、ダマができないようにヘラでよく混ぜる。

5 粉っぽさがなくなったら、牛乳200㎖を少しずつ加え、その都度ヘラでよく混ぜる。

6 牛乳と粉が十分になじんだら、さらに牛乳200㎖を2回に分けて加え、その都度泡立て器でよく混ぜる。

7 塩、こしょう各少々を加え、よく混ぜながらとろみがつくまで加熱する。

8 **3**にハム（またはベーコン）を1枚ずつ巻きつけ、耐熱皿に並べる。**7**をかけ、シュレッドチーズをたっぷりのせる。

9 190℃に予熱したオーブンで、チーズの表面に焦げめがつくまで20～25分焼く。

おもてなしは豪華一点主義で

正直言って、僕は自宅に人を招くのがあまり得意ではありません。その理由は、普段の数倍の時間をかけて料理を準備するのが少し億劫だから。でも、こちらの人は気軽に「ごはんを食べにおいでよ」と誘ってくれる。人を招くのが面倒ではない理由のひとつが、おもてなし料理の違いにあるような気がします。

日本では、おもてなしの際にはいろいろな食材を使って何種類もの料理を並べるのが普通です。でもこちらでは、メインがドーン！で OK。かたまり肉に塩をふり、野菜と一緒にオーブンに入れれば料理はおしまい。あとは、買ってきたナッツと生ハムでもつまみながらお酒とおしゃべりを楽しみ、焼き上がりを待つだけです。

hiver 226

アナログな遊びを楽しむ

カラオケやゲームセンターなどの娯楽施設が少ないためか、ベルギーの人はアナログな遊びを好みます。公園では、ボウリングのように並べた木のピンをボールで倒したり、ゲートボールのようにスティックでボールを転がしたり。日本ではあまり見かけないスポーツ……なのかゲームなのか、を楽しんでいる人たちを見かけます。

室内遊びで盛り上がるのは、言葉を使ったゲーム。ひとりめが「私のバッグにはパソコンが入っています」と言うと、ふたりめが「私のバッグにはパソコンと本が入っています」。こうして延々とバッグの中身を増やしていく、というシンプルなルールです。残念ながら、このゲームのおもしろさは、僕にはまだわかりません。

鼻水はすすっちゃダメ

寒い季節には、風邪をひいていなくても、ちょっと鼻水が……なんてことがありますよね。そんなときは目立たないように軽く鼻をすすっていたのですが、あるとき「やめたほうがいい」と注意されました。ヨーロッパでは、鼻をすするのはマナー違反なのだそうです。

では、鼻水が気になるときはどうするか？といえば、人前でもかむ！　レストランなどでも、テーブルで堂々と鼻をかむ人を見かけます。

おまけに、鼻のかみ方も超ダイナミック。なんの遠慮もなく、「ブォーン！」と派手な音を響かせます。僕が力いっぱい鼻をかんでも、あんな轟音は出せません。かむ技術の違い？　それとも鼻の高さの違いでしょうか。

hiver 228

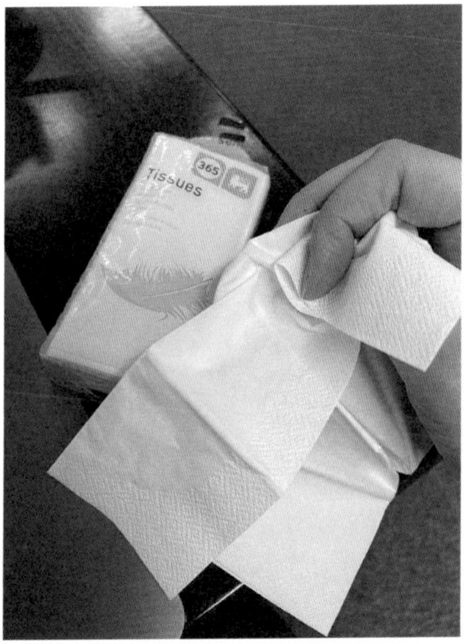

ティッシュはかためがお好み

「日本製＝高品質」。このイメージはヨーロッパでも確立しており、ジャパンクオリティへの信頼度は抜群です。

あるとき、風邪気味だった知り合いが鼻の下を真っ赤にしていたので、日本製の高級ティッシュをプレゼントしました。しっとりとやわらかく、肌にやさしい贅沢品です。彼女は喜んで受け取りましたが、使用後の評価は「やわらかすぎて頼りない」。

ヨーロッパと日本では鼻をかむ強さが違います。どうやら繊細なティッシュは、勢いよく噴射される大量の鼻水を支えきれないことがあるよう。思いきり鼻をかみたい彼女にとっては、厚手で紙ナプキンのようにゴワゴワの使い慣れたティッシュのほうが安心だったようです。

229 *hiver*

ジャスミンティーのはずがミントティー？

ブリュッセルには外国人も多いので、カフェで飲み物をオーダーするぐらいなら英語でも大丈夫。ただし、ジャスミンティーだけは、「テ ジャスマン（thé jasmin）」とフランス語で伝えたほうがいいかもしれません。

以前、友人が英語で「jasmine tea」と頼んだところ、ポットいっぱいにフレッシュミントが詰まったミントティーが出てきたことがあります。こんなことが起こったのは、「ジャスミンティー」が「Just mint tea」と聞こえてしまったためでした。

運の悪いことに、その友人はミントが大嫌い。しょんぼりしながらオーダーしなおし、「次からは絶対にフランス語で注文する！」と反省していました。

hiver 230

街中ではもち物に注意！

ブリュッセルのカフェで、スリの現場を目撃したことがあります。テラス席の近くをウロウロしていた男性がいきなり通行人に絡み、ひとりで騒いだ後、テラス席のテーブルをバン！とたたいて立ち去ったのですが……。

テーブルには、パソコンを開いて仕事中の男性客が座っていました。騒いだ男はテーブルをたたくと同時に、テーブルに置いてあったスマホを盗ったように見えました。本人は気づいていなかったので、「スマホを盗られてない？」と声をかけると、やっぱりない！

これほど乱暴な盗り方はめったにないと思うけれど、スリなどの多さは日本とはくらべものになりません。油断してはいけないな、とあらためて思わされました。

231 hiver

ガレット・デ・ロワは新年のお菓子

1月6日は「公現祭」というキリスト教の祝日。この日は、ガレット・デ・ロワを食べて祝うのが定番です。「王様たちのパイ」を意味するガレット・デ・ロワは、アーモンドの香りのフィリングを詰めたパイ。クリスマスが終わった年末から1月末ぐらいまで店に並ぶので、その間は何度も食べる人が多いようです。

ガレット・デ・ロワには、ふたつの特徴があります。ひとつめが、「フェーブ」と呼ばれる小さな陶製のアイテムが入っていること。切り分けて食べたとき、フェーブが出てきた人は幸運に恵まれるとされています。

ふたつめが、紙製の王冠が添えられていること。これは、フェーブを引き当てた人がかぶります。

コレクションしたくなるかわいいフェーブ

ガレット・デ・ロワに入れるフェーブは、本来はどこに入っているかわからないもの。でも最近では、「フェーブ別添え」のタイプも登場しています。切り分ける直前にパイの下から好きなところにフェーブを押し込み、子どもに当たるようにすることができます。

フェーブは高さ2～3cmほどの小さなもので、デザインはさまざまです。規模が大きい有名店では、オリジナルのフェーブが使われていることも。たとえばマカロンが有名な「ラデュレ」のものからは、かわいいマカロンのフェーブが出てくるそうです。フェーブをコレクションするため、1月中はガレット・デ・ロワを食べまくっている人もいるようです。

233 *hiver*

たまには食べたい豪華な朝ごはん

カフェの「プティデジョネ（petit déjeuner）」はいわゆるモーニングセットです。コーヒー、オレンジジュース、クロワッサンやパン・オ・ショコラなどの簡単なものが一般的。値段は500～600円のイメージです。

ただし、中には豪華な朝食が食べられるところもあります。休日に妻と出かけた郊外のレストランの朝食メニューは、焼きたてパン、スモークサーモンのタルティーヌ、目玉焼き、ハムとチーズの盛り合わせ、自家製グラノーラとフルーツたっぷりのヨーグルト……。とても食べきれないボリュームでしたが、どれもおいしかったし、ぜいたくな気分を味わえました。お値段は……残念ながら覚えていません。

hiver 234

すしはやっぱり高級品

和食に興味をもつ人は多く、ブリュッセルにもすし店はたくさんあります。でも、日本で生まれ育った僕がイメージする「おすし屋さん」はごくわずか。ほとんどは「カリフォルニアロール」など、海外で大幅にアレンジされたメニューが中心の店です。

アレンジメニューを出すすし店はカジュアルで入りやすいけれど、リーズナブルなわけではありません。ベルギーでは外食が高いこともあり、一人前の盛り合わせが日本円のイメージで2500～3000円ほど。スーパーマーケットで買えるパック詰めのすしも2000円ぐらいします。本格的なすしが食べられるのは、かなりの高級店。特別なときに思いきって行くようなところだと思います。

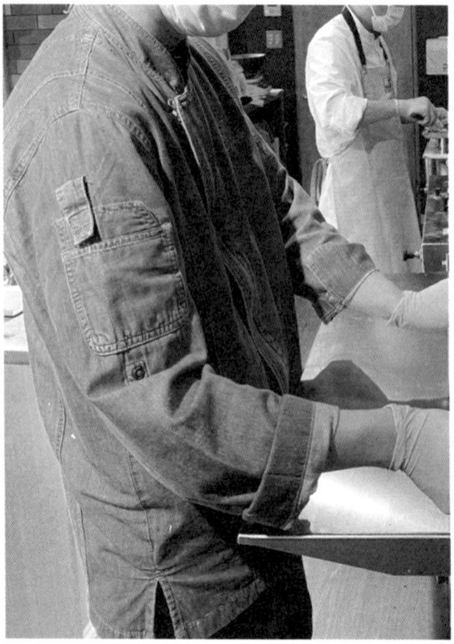

コックコートを買うならヨーロッパに限る

パティシエの仕事着であるコックコートには、火がついてしまったときに備えて「強く引っ張ると一気に脱げる」など一定の機能が求められます。パティシエの勉強を始めてからずっとほぼ同じタイプを着ていたため、「コックコートってこういうもの」と思っていました。

でも、そんなことはなかった！　ヨーロッパには、おしゃれで個性的なコックコートがそろっています。機能はきちんと満たしたうえで、ボタンではなくファスナーだったり、デニム製だったり、シルエットが細身だったり。おしゃれなコックコートを着ていると気分もいいし、なんだか腕もよさそうに見えるので……僕はこれからも、ヨーロッパ製を愛用することになりそうです。

コックコートの終わりなき旅

仕事で使うコックコートを探しているとき、フランスの専門店のサイトでかっこいいものを見つけ、ポチッと注文しました。日本だと海外からの荷物が届くのは時間がかかりますが、EUでは国境を意識することはほとんどありません。たとえばAmazonの場合、「アマゾン・フランス」で注文しても、早ければ翌日に届きます。

でも、1週間待ってもコックコートが来ない！　販売元に何度も問い合わせをし、あきらめかけた頃にやっと届きました。注文してから1カ月ほどたっていたと思います。フランスに住む友人が同じサイトで買い物をしたときには、注文の翌日に届いたとか。僕のコックコートは1カ月もどこで何をしていたのか？　今でも謎です。

「やってくれたらラッキー」が仕事の基本

日本では「普通の人」の僕ですが、今の職場では「気が利いてきっちりした人」に分類されるかもしれません。日本とは、仕事上の「あたりまえ」がことごとく違うからです。たとえばお客様がほしい商品が店頭にないと、在庫を確認もせずに「今ないわ」でおしまい、なんてことも普通。最初のうちは、小さなイラッ！の連続でした。

でもあるとき、ベルギー生活が長いオーナーに言われたんです。相手が「やらない」ことに腹を立ててもストレスがたまるだけ。もっと大らかな気持ちでいたほうがいいよ！　経験に基づいたアドバイスのおかげで、今では「やってくれたらラッキー」くらいの気持ちでスタッフに指示を出せるようになりました。

ラーメン、伸びちゃうよ？

ラーメンはパッと食べてさっと帰る、というマナーは、どうやら世界共通ではないようです。こちらでは、ラーメン店はレストラン扱い。テーブルについたら時間をかけてメニューを選び、ラーメンが来たらおしゃべりを楽しみながらゆっくり味わう、というスタイルが普通です。

麺をすするスキルも低いので、麺を１本ずつつまみ上げるような食べ方をする人がほとんど。もちろん、食べている間に麺はどんどん伸びていく……。

スープを吸ってふくらんだ麺は、おなかにたまります。食べきれなかったときはどうするかといえば、当然のようにテイクアウト！　翌日、温めなおして食べるラーメンは、はたしておいしいのかな？

239 hiver

ヨーロッパ各地の名産品がなぜここに

ブリュッセル市内にある高級スーパーマーケットは、よいものだけを集めた「セレクト・スーパー」のような店。トリュフや神戸ビーフなどの高級食材が普通に並んでいるし、オリーブオイルやスパイスなどの種類も豊富です。他の店では手に入らないものも多いので、もちろんお値段もそれなり。日本円にざっくり換算すると、なす1本が600円なんてこともあります。

店内を見て回るのは楽しいけれど、フランスの海沿いの街・サンマロで作られるバターと、アルザス地方の有名なジャムを発見したときはがっかりしました。だって、以前わざわざ現地まで行って買ったことがあるものだったから。まさか、こんな近くで売っていたなんて……。

バレンタインデーには小学生も花を贈る

2月14日に女性から男性にチョコレートを贈るのは、日本のオリジナル。ベルギーでは、バレンタインデーは男性から女性に愛を伝える日とされています。もちろん、プレゼントを贈るのは男性側。花などを贈る人が多く、チョコレートは選択肢のひとつにすぎません。

バレンタインデーの前、小学校や中学校に花屋さんが来て男の子たちから注文をとっていきます。そしてバレンタイン当日、花屋さんから女の子にバラが渡されます。バラにはカードが添えられており、贈ってくれた子の名前が書いてあるのだとか。ちなみに友人の娘は、先生からバラを贈ってもらったそう。「だれからももらえない子がいないように」という、先生のやさしい気配りです。

241 *hiver*

愛情表現は行動で

ヨーロッパの男性は「あなたの瞳は星のように美しい」みたいなセリフをサラリと言うイメージがあったのですが、実際には個人差が。甘い言葉が得意な人もいるけれど、僕と同レベルの人も少なくありません。

ただし、行動での愛情表現はだれもが上級者です。カップルは人前でもおかまいなしに密着し、キスをしたりいちゃついたり……。

日本人の友人は、日本人が多いパーティに参加する際、フランス人の夫に「今日はベタベタしないでね」と言っておくのだとか。夫は不思議がるそうですが、感覚の違いを言葉で説明するのは難しい！　細かいことは省略し、「日本ではヘンなことなの！」と伝えているそうです。

hiver 242

もう少し頑張れ！袋菓子

スーパーマーケットのお菓子売り場にはそれなりにいろいろなものが並んでいますが、日本のお菓子を知っている僕は「もう少し頑張りましょう」と言いたくなります。日本だったら、たとえばチップス系のスナックだけでもたくさんの種類があるはず。それぞれ材料や味、食感が工夫されており、選ぶ楽しさがあります。

でもこちらでは、チップスといえばポテト、コーン、タコス系ぐらいです。甘いものも、チョコレート、クッキー、ウエハース、と定番オンリーでちょっとつまらない。おまけに、「食べきりサイズ」のような量の面での工夫もありません。少しだけ食べたくて買ったものを、何日も食べ続けなければならないこともあります。

243 hiver

ドライトマトはトマトじゃない？

　ベルギーで暮らしてみて、初めておいしさに気づいたのがドライトマトです。干しシイタケのような乾いた状態やオイル漬けで売られているのですが、どちらも本当においしい。原料の違いなのか、それとも加工法や調理法の違いなのか、理由はよくわからないのですが……。

　パスタやサラダに入れるなど、いろいろな使い方ができますが、僕のおすすめはサンドイッチです。淡泊なチーズと組み合わせると、ドライトマトのうまみと塩味が何とも言えずいい感じ。具を選べるサンドイッチ店で「トマトは入れないで」と言うと、「じゃあ、ドライトマトは？」と聞かれます。味わいが違うドライトマトとトマトは、別の食材として扱われているようです。

Je suis impatient de vous rencontrer🖤

bisous bisous😘

🖤

電話でもメールでもビズ、ビズ！

新型コロナの流行で行動制限が厳しかった時期、頬を合わせるビズはもちろん禁止。人と話すときは一定の距離をおくなどのルールもありました。もちろんハグや握手も禁止。「いつもの挨拶」ができないことにストレスを感じた人も多かったと思います。

僕にとってビズやハグは、まだ「頑張ってやってみる」レベルのこと。でもヨーロッパの人は、僕たちが「じゃあね」と言うような感覚でビズをします。家族との電話を終えるときは、「それじゃ、ビズ！」「パパにもビズね」。親しい人からのメールの最後には、「ビズ、ビズ」。実際にできないときは言葉で伝えるほど、暮らしに根づいた習慣なんだと思います。

245 hiver

BIOへのこだわり

スーパーマーケットやマルシェには、「ビオ（BIO）」の表示がある食品がたくさん並んでいます。BIOは、化学肥料や農薬を使わないなど、いくつかの条件を満たしていることの証明。日本の「有機野菜」などとほぼ同じイメージですが、野菜やくだものだけでなく、お肉や乳製品、卵などにもBIO製品があります。もちろん、普通のものにくらべてBIO製品はややお高めです。

僕の身近なところでは、若い人より一定の年齢以上の人のほうがBIOへのこだわりが強い印象。親しくしてくれる70代のムッシュは「BIOしか食べない」と言いきっています。理由は「お医者さんに言われたから」。「BIO=体によい」という意識が浸透しているみたいです。

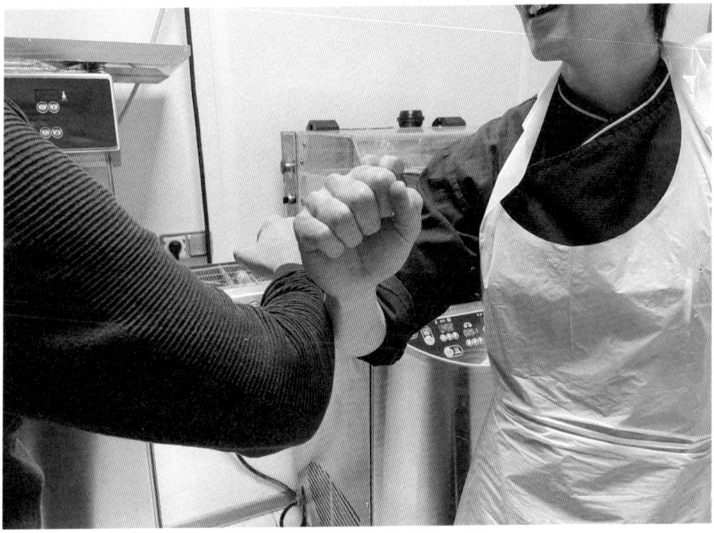

パティシエの握手

ここ数年、おもに男性同士の間で見られるようになってきたのが、お互いに腕を曲げ、肘のあたりを軽くぶつけ合う挨拶。新型コロナウイルスの流行で握手やビズが禁止されたことをきっかけに広まったスタイルです。

実は、時代を先取りしてこの挨拶をしていた人たちがいます。それが、僕たちパティシエです。ヨーロッパでは、出勤＆退勤時に握手やビズをするのが普通。でもパティシエの場合、お菓子の生地で手がベタベタだったり、手を休められないタイミングだったりすることもよくあります。だれかが出勤するたびに手を洗って握手して、また手を洗って……なんてことをせずにすむよう、腕を軽くぶつけ合うのがパティシエの握手なんです。

247 *hiver*

あこがれの日本製マスク

　花粉症に悩む人が多い日本では、アレルギーなどの対策としてマスク姿の人が珍しくありませんでした。でもベルギーでは、マスクをつける習慣はゼロ。そもそも流通していなかったものなので、新型コロナウイルスが流行しはじめた頃はマスク不足が深刻でした。

　少しずつ出回りはじめてからも、品質は今ひとつ。不織布はゴワゴワして肌が荒れるし、ゴムがきつくて耳が痛くなるし……。その後、日本から送ってもらったマスクを使ったときは、あまりの素晴らしさに感動しました。品質のよさは、見た目でわかるんでしょう。日本製のマスクをつけて外出すると、あちこちで「それいいね」「どこで買ったの？」と声をかけられたものです。

hiver 248

チキンソテーよりから揚げがヘルシー？

和食は「ヘルシーな食事」として世界中で人気です。以前は「イメージが先行してるんじゃない？」なんて感じる部分もありましたが、海外で暮らしてみて実感しました。和食って、本当にヘルシーです！

もちろん、ベルギーにはおいしいものがたくさんあります。食材も豊かだし、日本で暮らしてきた自分たちにはない発想の料理に出会う楽しさもあります。でも和食が味覚のベースになっている僕にとっては、ヨーロッパの料理は、濃い・甘い・脂っこい。個人的にはこちらのチキンソテーより、日本風のから揚げのほうが体にやさしい気がします。だってベルギーのチキンソテーには、バターとクリームたっぷりのソースがかかっているから。

オイスタースタンドは冬のお楽しみ

冬になるとマルシェの一角に登場するのが、オイスタースタンド。買い物ついでに立ち寄って、生ガキとスパークリングワインを楽しむ店です。寒い屋外で、冷たいカキと冷えたワイン。考えただけで体が冷えそうですが、寒さもお楽しみの一部なのかもしれません。

こちらではカキといえば生食なので、売っているカキは殻付きが基本。カキ売り場の近くには、殻を開けるための専用ナイフも並んでいます。友だちの家に招かれたとき、なぜか僕がカキの殻を開けることになりました。シェフならともかく、僕はパティシエ。カキを扱った経験などなかったのに……。こっそりYouTubeを見ながら苦戦したのは、ちょっとなつかしい思い出です。

僕は花を求めていた！

ベルギーの冬は、ひと言で言うなら「グレー」です。昼は短いし、どんより曇った日も多い。街も石造りなので、どこを見てもグレー一色。どうしても、気持ちも沈みがちになります。

12月にはクリスマスでいったん盛り上がるけれど、その後も冬は続きます。そしてもういやだな、なんて思いはじめた頃、街路樹に緑の葉がチラチラ交じってきたり、道端に小さな花が咲いたり……。グレーの世界に「色」が加わるのは、本当にうれしい！　この気持ちは、日本では感じたことがありません。冬から春にかわっていく街を見るたび、「人って花が咲くのがうれしいんだな」「僕は花を求めていたんだな」と気づかされます。

Les sens ciel
レソンシエル

ベルギー在住 10 年のパティシエ、ショコラティエ。フレンチの料理人である父の影響でパティシエに。日本の洋菓子店で数店舗修業ののち、チョコレートの本場ベルギーへ。ショコラティエになる。2015 年、ベルギーにて若手パティシエの登竜門コンクールで優勝、2019 年、チョコレートの世界大会「ワールドチョコレートアワードファイナル」でシルバーを受賞。近年ではベルギーのミシュラン星付きレストランのデザートも担当。YouTube でのレシピや旅の美しい動画、優雅な BGM に癒されるとフォロワーの評価も高い。オンラインお菓子教室も人気。著書に『ベルギーパティシエがていねいに教える とっておきのごほうびスイーツ』『ベルギーパティシエがていねいに教える 定番だけど極上の焼き菓子』（いずれも KADOKAWA）がある。

YouTube：https://www.youtube.com/@lessensciel2585
X（旧 Twitter）：@Lessensciel2
Instagram：@lessensciel.recette

ベルギーパティシエの四季《しき》暮《ぐ》らし 日々《ひび》の小《ちい》さな幸《しあわ》せ250

2024 年 3 月 6 日　初版発行

著　者／レソンシエル
発行者／山下直久
発　行／株式会社 KADOKAWA
〒 102-8177　東京都千代田区富士見 2-13-3
電話 0570-002-301（ナビダイヤル）

印刷所／大日本印刷株式会社
製本所／大日本印刷株式会社

●お問い合わせ
https://www.kadokawa.co.jp/（「お問い合わせ」へお進みください）
※内容によっては、お答えできない場合があります。
※サポートは日本国内のみとさせていただきます。
※ Japanese text only
定価はカバーに表示してあります。

ISBN 978-4-04-606778-4　C0077

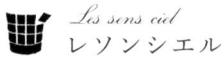